LE NOUVEL ESPACES 2

CAHIER D'EXERCICES

Guy CAPELLE
Noëlle GIDON

avec la collaboration de
Sylvie PONS
(professeur à l'Alliance française de Paris)

HACHETTE F.L.E.
58, rue Jean-Bleuzen
92170 Vanves

Avant-propos

Le présent cahier·d'exercices s'adresse aux apprenants qui utilisent le *Nouvel*ESPACES **2**. Il est surtout destiné au travail personnel en dehors de la classe.

Ce cahier comprend douze dossiers correspondant aux douze dossiers du manuel. Chacun des dossiers est ensuite divisé en trois sections correspondant respectivement à «Informations-Préparation», «Paroles» et «Lectures-Écritures».

Les apprenants auront ainsi à leur disposition plus de 250 exercices qui, venant s'ajouter aux quelque 450 exercices du manuel, renforceront leur capacité de manipulation et de réemploi des formes et provoqueront leur réflexion sur le fonctionnement du français. Les points abordés (lexique, grammaire, prononciation, actes de parole...) sont indiqués en marge. En revanche, les quelques activités ouvertes et les activités de production de textes ne sont pas signalées autrement que par leur titre.

Ce complément d'exercices constituera sans aucun doute un appoint précieux, et même indispensable, pour la majorité des apprenants. Il conviendra au professeur de choisir les exercices appropriés à la classe ou à certains des étudiants, d'en assurer la correction et de faire les mises au point rendues nécessaires par les erreurs commises.

Maquette : Martine Lacombe.
Réalisation PAO : Joseph Dorly Éditions.
Couverture : Gilles Vuillemard.
Photo couverture : The Image Bank.
Dessins : Éric Albert.

Crédits photographiques : Flash One, 45 ; Gamma/J.-L. Manaud,34 ; Magnum/Bob Henriques, 6g ; Magnum, 6d, 31 ; Ministère des droits de la femme, 45 ; Nouvel Observateur, 42 ; Peugeot, 48 ; Rapho/F. Le Diascorn, 31 ; Rapho/Goursat, 72 ; Roger-Viollet/collection Viollet, 41 ; Vestra S.A., 43.

ISBN : 2-01-155021-1
© Hachette Livre, 1995 – 79, boulevard Saint-Germain F 75006 Paris.
Tous droits de traduction, de reproduction et d'adaptation réservés pour tous pays.

Êtes-vous physionomiste ?

1 COMMENT SONT-ILS ?

➔ Complétez les phrases en vous aidant des dessins.

Lexique : le visage

1. Elle a le visage .... , de beaux cheveux .... ,

   une grande .... aux lèvres .... , les oreilles ....

avoir le (la) + partie du corps + adj.

2. Il a le .... plutôt carré, de grands .... ,

   le nez .... et le .... dégagé.

3. Elle a le visage .... , les cheveux .... et .... ,

   une .... bouche ....

4. Il a le front .... , des sourcils .... , les traits ....

   Il a la main .... sous le menton.

2 TOUTE LA GAMME !

➔ Rangez ces adjectifs de couleur du plus clair au plus foncé.

Couleurs

⚠ marron, orange : invariables

1. Des cheveux bruns, blonds, gris, châtains, roux, noirs, blancs

   ....

2. Des yeux marron, verts, bleus, noirs, gris

   ....

3 QUEL BEAU VISAGE !

➔ Dessinez un visage ovale avec :

un front plutôt bas   un petit nez droit

de petits yeux noirs   une petite bouche ronde

des cheveux courts et raides   un menton fin

des oreilles assez fines

4 QUI ÉTAIENT-ILS ?

➜ Devinez qui ils étaient. Décrivez-les. Employez des adverbes d'intensité.

1. Forme du visage
2. Yeux
3. Cheveux
4. Front

5. Nez
6. Bouche
7. Menton
8. Autres traits caractéristiques.

1. Il avait un visage long . . . .
. . . .
. . . .
. . . .
. . . .

2. Elle avait un visage . . . .
. . . .
. . . .
. . . .
. . . .

5 À QUI RESSEMBLEZ-VOUS ?

➜ Comparez-vous à d'autres membres de votre famille.

Je ne ressemble à personne et à tous. J'ai les mêmes . . . . que . . . .

Mes yeux sont . . . . comme ceux de . . . .

. . . .

Ressembler à
le même... que...

Comment sont-ils ?

6 | QUI CHERCHEZ-VOUS ?

→ Identifiez chacun des six personnages.

Identifier quelqu'un
celui qui, celle qui
le petit (homme) gros

Le premier, c'est celui qui ....

....

....

....

....

7 | CARACTÉRISEZ DES OBJETS.

→ Complétez les phrases avec les relatifs « qui » ou « que ».

1. C'est un objet .... se porte au doigt et .... les femmes aiment bien.

2. Ce sont des chaussures .... ma mère m'a achetées et .... me font mal aux pieds.

3. On m'a volé la montre en or .... appartenait à ma grand-mère, ... j'avais rangée dans cette boîte et .... je mettais pour sortir.

4. Je vais te montrer un tableau .... je viens d'acheter et .... je trouve assez original.

5. C'est un petit cadeau .... je vais faire à mes enfants et .... , je l'espère, leur fera plaisir.

8 MENEZ L'ENQUÊTE !

→ Complétez le questionnaire ci-dessous avec «celui, celle, ceux, celles» suivis de «qui» ou «que».

celui, celle, ceux, celles... qui / que

1. Quel est, à votre avis, le meilleur film du mois? . . . . tout le monde va voir?

2. Quels sont vos disques favoris? . . . . vous n'aimez pas prêter?

3. Quelles sont, pour vous, les vacances les plus agréables? . . . . vous passez à la montagne?

4. À quelle salle de gym allez-vous le plus souvent? À . . . . est le plus près de chez vous?

5. Quel est votre meilleur ami? . . . . est toujours de votre avis?

9 IL AIME LES COULEURS !

→ Accordez les adjectifs de couleur quand c'est nécessaire.

Accord des adjectifs de couleur

Il a des yeux bleu... foncé... et des cheveux noir.... Il porte souvent des costumes marron... avec des chemises jaune... . Mais ce qu'il aime surtout ce sont les cravates vert... . Il en a de toutes sortes, des vert... émeraude..., vert... clair..., vert... foncé... . Avec ses chemises jaune citron... il ressemble parfois à un perroquet avec ses plumes rouge... tomate..., vert..., jaune... vif... ou bleu... . Heureusement, il porte des chaussures marron... . C'est discret. Tu l'imagines avec des chaussures orange... ?

10 LA JEUNE FILLE AUX YEUX VERTS.

→ Mettez le texte au passé composé.

Quand elle entre dans le restaurant, le monde s'arrête de tourner. Les serveurs posent leur plateau, les clients restent la bouche ouverte, l'hôtesse laisse tomber les manteaux, même les ventilateurs deviennent silencieux. Le chat se réveille en sursaut. Il regarde de ses yeux verts la jeune fille brune, les yeux verts, elle aussi. Elle s'avance au milieu de la salle, d'un pas léger. Elle s'approche d'une table, regarde autour d'elle puis s'assied. Alors les ventilateurs se remettent à tourner, les clients à manger. Les serveurs reprennent leur plateau. Le chat se rendort. Les manteaux retrouvent leurs ceintres. La vie recommence.

11 QU'EST-CE QU'ILS DEMANDENT ?

→ Trouvez les questions.

Questionnement

1. . . . .

– Elle pèse 55 kg.

2. . . . .

– Il mesure 1,72 m.

3. . . . .

– Il est assez mince.

4. ....

   – À sa mère.

5. ....

   – Plus châtains que blonds.

12 MOTS EN ÉCHELLE.

→ Remplissez la grille.

Lexique : vêtements

Définitions

Horizontalement :

1. Couvre le bas du corps

2. Sont en général bleus

3. Se remplit de vêtements quand on part en voyage

4. Habille les hommes

5. Se porte au poignet et indique l'heure

6. Seules les femmes en portent

Verticalement :
Parties de chaussures

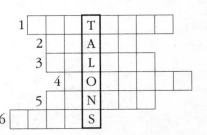

C'est un bel homme !

1 C'EST BIEN CELUI-LÀ ?

Le commissaire Berthier / le gang.
C'est celui qui a arrêté le gang des Champs-Élysées.

celui qui / celui que

1. L'agent Guyot / taper la déposition

....

2. La dame / faire la déposition

....

3. Jean Lescure / disparaître

....

4. Le commissaire / porter un blouson de cuir

....

5. Le disparu / croiser dans l'escalier

....

2 | CE N'EST PAS POSSIBLE !

→ Donnez un argument pour contredire l'hypothèse.

Jean Lescure est peut-être parti en vacances...
– Vous croyez qu'il est parti sans prendre de bagages / sans le dire à personne / sans rien emporter !

Sans + infinitif + COD
ou COI
(sans rien + infinitif
sans + infinitif + personne)

1. Il a peut-être quitté la maison.

....

2. Il est peut-être allé se promener.

....

3. Il est peut-être parti à l'étranger.

....

4. Il est probablement allé chez des amis.

....

3 | POUR QUI LES PRENEZ-VOUS ?

→ La question vous étonne. Vous vous défendez.

Vous le voyez souvent ?
– Pourquoi voulez-vous que je le voie souvent ?

Vouloir + subjonctif

1. Vous lui faites ses courses ?

– ....

2. Elle lui parle souvent ?

– ....

3. Vous vous occupez de son chien ?

– ....

4. Ils n'ont pas confiance en elle ?

– ....

4 | QU'EST-CE QU'ILS DEMANDENT ?

→ Trouvez la question.

Questionnement

1. ....

– Depuis quatre jours.

2. ....

– Un costume marron.

3. ....

– Non, pas très bien.

4. ....

– Non, ce n'est pas lui.

5 | C'ÉTAIT UNE BELLE HISTOIRE !

➜ Regardez les dessins, puis racontez l'histoire au passé du point de vue de la jeune fille.

Passé composé / imparfait

Tous les matins, il ....

....

....

....

.... Où sont-ils maintenant ?

....

6 | ELLE A LE SENS DE L'OBSERVATION !

➜ Compléter le dialogue en employant le temps qui convient.

Imparfait / passé composé

– On (devoir) .... se voir, hier, qu'est-ce qui t'(arriver).............. ?

– Je (aller) .... au commissariat. On (cambrioler) .... mon voisin du

dessus et je (voir) .... le voleur.

– Non ? Raconte.

– Il (être) .... environ 10 heures et demie dimanche soir, je (regarder) ....

la télévision. Le film ne (être) .... pas fini. J' (entendre) .... du bruit

au-dessus. J' (trouver) .... ça bizarre parce que je (savoir) .... que mes

voisins (venir) .... de partir en vacances.

– Tu (monter) .... voir ?

– Ah ! non, mais j' (éteindre) .... la télévision et je (écouter) .... Je ne (entendre) .... plus rien et tout d'un coup la porte du palier (claquer)

.... et quelqu'un (descendre) .... très vite.

– Tu (ouvrir) .... ta porte?

– Non, mais je (regarder) .... par la fenêtre. Je le (voir) .... sortir. Il

(courir) ...., il (porter) .... un sac sur l'épaule. Il (être) ....

assez grand, les cheveux plutôt clairs. Il (avoir) .... un jean et un blouson en cuir.

– Comment tu (pouvoir) .... voir tout ça, il (faire) .... nuit?

– Oui, mais j' (avoir) ...... toujours ...... le sens de l'observation.

Messieurs, pour séduire, recherchez l'efficacité.

1 LES TEMPS CHANGENT-ILS ?

pronoms relatifs

➜ Complétez le texte avec des pronoms relatifs.

Il s'agit d'un sondage .... on a réalisé récemment et .... s'adressait aux femmes.
Les questions .... on a proposées portaient sur les moyens de séduction .... les
hommes peuvent utiliser. C'est l'intelligence .... vient en premier. Ce n'est pas une
réponse .... on pouvait prévoir facilement! Par contre, la réussite sociale et la virilité
.... on pouvait croire importantes n'arrivent qu'aux 7e et 8e rangs.

Patient ou agressif ?

1 **QUELS SONT LES PARTICIPES PRÉSENTS DES VERBES SUIVANTS ?**

Formation
du participe présent

1. Acheter : ....

4. Aller : ....

2. Dire : ....

5. Pouvoir : ....

3. Faire : ....

6. Devoir : ....

2 **ILS LE FAISAIENT EN MÊME TEMPS.**

➤ Récrivez ces phrases en utilisant le gérondif.

Il donnait des coups dans le mur et criait des insultes.
Il donnait des coups dans le mur en criant des insultes.

Le gérondif

1. Elle regardait la personne qui fumait et disait que c'était scandaleux.

....

2. Tu te plaignais et tu prenais ton voisin à témoin.

....

3. Ils montraient l'interdiction de stationner à l'automobiliste et lui disaient qu'il ne pouvait pas se garer là.

....

4. Il repoussait son verre et disait que le vin n'était pas buvable.

....

5. Elle demandait qu'on change son assiette et elle souriait.

....

6. Vous écoutiez votre ami parler et vous pensiez qu'il n'était pas raisonnable.

....

3 **QUE POUVAIENT-ILS FAIRE EN MÊME TEMPS ?**

➤ Mettre ensemble les deux actions simultanées.

boire du café / bavarder avec ses amis
Il bavardait avec ses amis en buvant du café.

Imparfait et gérondif

1. regarder passer les gens / se reposer

....

11

2. s'engager pour un an / signer le contrat

....

3. découvrir le spectacle / exprimer leur surprise

....

4. répondre aux questions / sourire

....

5. parler à son voisin / attendre son tour

....

4 QU'EST-CE QUE VOUS POUVEZ DIRE ?

➜ Vous êtes invité(e) chez des amis. On vous sert du lapin. Vous avez eu un lapin comme animal de compagnie pendant des années et vous ne mangez jamais de lapin.

Classez les réponses suivantes par ordre d'acceptabilité en commençant par la moins acceptable.

Refuser

1. Je ne mange pas de ça.

2. Vous ne m'en voudrez pas si je ne prends pas de lapin ?

3. Quelle horreur, manger du lapin !

4. Je suis désolé(e). Le lapin me rappelle des souvenirs. Je ne peux pas en prendre.

5. Comment pouvez-vous manger du lapin ?

6. Excusez-moi, mais ça me rappelle trop le petit lapin que j'ai eu dans mon enfance.

7. Ça me dégoûte !

8. Ça vous ennuie si je ne prends pas de lapin ? C'est par principe.

5 AVANT ET APRÈS !

➜ Racontez l'histoire et, à propos de chaque image, décrivez l'attitude et l'état d'esprit du personnage.

Avant, il ....

Alors, il ....

Maintenant, il ....

Protester

6 QU'ALLEZ-VOUS DIRE ?

Vous êtes dans une boutique et vous attendez votre tour. Quelqu'un veut passer devant vous.

➜ Faites cinq phrases de la plus polie à la plus familière.

....

....

....

....

....

Y a-t-il correspondance ?

7 ELLE ÉTAIT JOLIE...

➜ Complétez le texte avec les adjectifs entre parenthèses.

Forme et accord
des adjectifs

Elle avait un (beau) .... visage et une (long) .... chevelure (blond) .... qui descendait jusque sur ses épaules, de (grand) .... yeux (marron) ...., de (petit) .... oreilles bien dessinées et une (joli) .... bouche (rond) .... Son expression était (franc et confiant) .... Elle paraissait (gai, doux et chaleureux)

....

8 EXPRIMEZ-VOUS !

➜ Exprimez votre volonté, vos doutes, vos émotions au sujet d'une autre personne, puis de vous-même.

Je ne crois pas qu'il te (avoir) dit de venir.
Je ne crois pas qu'il t'ait dit de venir.
Je ne crois pas t'avoir dit de venir.

2 sujets : subjonctif

1 sujet : infinitif

1. Il est important que vous (être) .... attentif aux autres.

2. J'ai peur qu'il ne (savoir) .... pas se débrouiller dans la vie.

3. Je souhaite que nous (pouvoir) .... vous rejoindre.

4. Je doute qu'elles (réussir) .... à le convaincre.

9 ILS SONT SANS DOUTE COMME ÇA.

➜ Récrivez les phrases en employant soit «sans doute» / «probablement», soit «il faut que».

Il est en retard, il a dû rater son train.
Il est en retard, il a sans doute/probablement raté son train.

1. Tu es trop nerveux, tu dois apprendre à être plus patient.

. . . .

2. Ces deux jeunes filles se ressemblent beaucoup, elles doivent être de la même famille.

. . . .

3. Je sais que vous êtes timide, mais vous devez faire un effort pour aller vers les autres.

. . . .

4. Cet homme est toujours calme et souriant, il doit être agréable à vivre.

. . . .

Réglé comme une horloge !

1 IL N'Y AVAIT RIEN, NI PERSONNE !

Vous avez vu quelqu'un chez lui ?
– Non, je n'ai vu personne.

Quelqu'un ≠ personne
quelque chose ≠ rien

1. Vous avez trouvé quelque chose ?

– . . . .

2. Vous avez rencontré quelqu'un dans l'immeuble ?

– . . . .

3. On vous a raconté quelque chose d'intéressant ?

– . . . .

4. Vous avez appris quelque chose de nouveau ?

– . . . .

5. Vous avez vu quelqu'un de l'immeuble ?

– . . . .

2 COMMENT VIVAIT-IL ?

→ Imaginez les habitudes de vie de cet homme.

Imparfait d'habitude

1. Qu'est-ce qu'il faisait quand il rentrait chez lui?

....

2. Où est-ce qu'il prenait ses repas?

....

3. Où lisait-il son journal?

....

4. Qu'est-ce qu'il faisait le dimanche?

....

5. Où est-ce qu'il promenait son chien?

....

3 | QUEL TEMPS EMPLOYER?

→ Complétez le texte avec les verbes suivants à mettre soit au passé composé, soit à l'imparfait.

hésiter – sortir – pouvoir – venir – décider – avoir – pousser – se sauver – aller – voir – pousser – aller – raconter – téléphoner – aller – entendre – être

Jeudi après-midi, je suis .... pour aller faire des courses. Il .... environ dix heures du matin. Le facteur .... de passer. Je .... d'aller dire bonjour à une amie. Elle habite impasse Lemière, à cinq minutes de chez moi. Pour aller chez elle, il faut passer devant un immeuble abandonné. En y arrivant, je .... du bruit. Je .... à entrer. Il n'y .... personne dans la rue, ça .... être dangereux d'y aller. Enfin, je .... la porte et un chat .... Je .... repartir quand, soudain, je .... un homme allongé sur le ventre, un couteau dans le dos. Je .... un cri. Je .... chez mon amie. Je lui .... tout .... et je .... au commissariat. Voilà.

4 | L'ÉCRITURE, UN SYSTÈME DE SIGNES.

Imparfait et passé composé

En grec, hiéroglyphe veut dire image sacrée. Les Égyptiens (penser) .... que c'(être) .... un don des dieux. Champollion (être) .... le premier à les déchiffrer. Pour cela, il (se servir) .... d'un décret de Ptolémée V gravé sur une pierre noire. Il (identifier) .... d'abord le nom de Ptolémée. En comptant les mots du texte grec, il (s'apercevoir) .... qu'ils (être) .... beaucoup moins nombreux que le nombre de hiéroglyphes. Il en (conclure) .... qu'il y (avoir) .... plusieurs sortes de signes et que les mêmes hiéroglyphes (pouvoir) .... représenter des valeurs différentes. C'est ainsi qu'il (découvrir) .... que le signe de la bouche (représenter) .... aussi la lettre R et que celui de la maison (pouvoir) .... vouloir dire «sortir»...

5 **LE COMMISSAIRE BERTHIER S'INFORME.**

➜ Quelles questions pose-t-il?

Questionnement

Où ....

– Impasse Lemière.

....

– Avec un couteau dans le dos.

....

– Rien. Pas de portefeuille, pas de papiers.

....

– Ils sont allés interroger les gens de l'immeuble où il habitait.

....

– Que c'était un homme tranquille qui n'avait pas d'ennemis.

6 **IL ÉTAIT EN RETARD !**

➜ Complétez la conversation avec des mots de la BD.

Lexique

– Tu as vu l'heure? Qu'est-ce qui t'arrive, toi qui est toujours ....

– Excuse-moi. J'ai dû .... du chien d'une voisine.

– Tu es .... avec tes voisins?

– Oui, et elle, elle est très .... et toujours très ....

– Tu as de la chance. Moi, dans mon immeuble, il n'y a pas que des ....

Continuez :

....

....

7 **DITES-LE AUTREMENT.**

Je veux que vous me préveniez de leur retour.
Prévenez-moi...
N'oubliez pas de me prévenir...

Ordre, demande insistante

1. Vous devez vous en occuper.

....

2. Il faut que vous alliez interroger la concierge.

....

3. N'oublie pas de t'occuper du chien.

....

4. Je veux que vous me parliez de cette affaire.

....

5. Je veux savoir quelles étaient ses habitudes.

....

8 QU'EST-CE QU'ELLE A DIT ?

➜ Complétez la conversation.

L'imparfait dans le discours indirect

– Tu as demandé à Sophie si elle (pouvoir) .... venir avec nous demain ?

– Oui, mais elle m'a répondu qu'il ne (falloir) .... pas compter sur elle.

– Pourquoi ?

– Elle m'a dit qu'elle (être) .... trop occupée avec son travail.

– C'est curieux, elle m'a dit qu'en ce moment elle ne (avoir) .... pas grand' chose à faire.

– Tu la connais. Un jour elle dit qu'elle (être) .... d'accord, le lendemain, elle dit qu'elle ne (pouvoir) .... pas.

– Je sais. D'ailleurs, je lui ai déjà expliqué ce que je (penser) .... de son attitude.

– Et qu'est-ce qu'elle t'a répondu ?

– Qu'elle se (moquer) .... complètement de mon opinion.

– J'ai toujours pensé qu'elle (être) .... bizarre, cette fille !

9 IL Y A EU UN MEURTRE !

➜ Relisez la bande dessinée et complétez les phrases.

Le subjonctif

1. La concierge n'a pas été surprise que les inspecteurs (venir) .... l'interroger.

2. Mais elle a eu peur qu'on la (soupçonner) ....

3. Les inspecteurs voulaient qu'elle leur (dire) .... tout ce qu'elle savait sur Jean Lescure.

4. Il était important que le commissaire (savoir) .... comment Lescure vivait.

5. Il a demandé que ses inspecteurs le (prévenir) .... dès leur retour.

Jeunes scénaristes.

1 QU'EST-CE QU'ILS SE REPROCHENT ?

➜ Utilisez des infinitifs passés.

Sandrine reproche à Laurent / ne pas lui parler plus tôt
Sandrine reproche à Laurent de ne pas lui avoir parlé plus tôt.

Infinitif passé

1. Laurent regrette de .... (ne pas lui parler avant)

2. Sandrine ne lui pardonne pas de .... (fuir ses responsabilités)

3. Laurent lui en veut de .... (se moquer de ce qu'il disait)

4. Sandrine l'accuse de .... (ne pas assumer ses choix).

5. Laurent lui reproche de .... (ne pas faire attention à lui).

2 | QUELS SONT LES ADVERBES CORRESPONDANT À CES MOTS ?

Avec gentillesse = gentiment

Adverbes de manière en **-ment**

1. Avec nervosité : ....

2. Avec élégance : ....

3. Avec brusquerie : ....

4. Avec douceur : ....

5. Avec tendresse : ....

6. Avec sincérité : ....

7. Avec ironie : ....

8. Avec aisance : ....

3 | QU'ALLEZ-VOUS LEUR DIRE ?

Calmer, rassurer

➜ Essayez de calmer Sandrine et Laurent. Dites-leur de ne pas se disputer, de ne pas se mettre en colère, de ne pas prendre de décisions irréparables, de faire la paix, de ne pas se séparer...

....

....

4 | COMMENT ONT-ILS RÉAGI ?

➜ Décrivez vos sentiments et imaginez ce que vous pensiez dans les situations suivantes.

1. On venait de vous annoncer une très mauvaise nouvelle.

J'étais .... Je ....

2. Vous venez de retrouver un ami que vous n'avez pas vu depuis très longtemps.

....

3. On se moquait visiblement de vous. Vous étiez au désespoir.

....

5 | QU'EST-CE QUE ÇA VOUS SUGGÈRE ?

➜ Complétez ces expressions qui apparaissent dans le texte.

Lexique, expressions

1. Les yeux rougis ....

2. Faire de .... gestes.

3. Il était à bout. Il n'en ....

4. Il l'a mise devant ....

5. Il a toujours fui ....

6 PETITES ANNONCES PERSONNELLES.

→ Lisez la première petite annonce et décodez les deux suivantes.

> Jeune femme, 35 ans, célibataire, brune, jolie, féminine, cherche compagnon 35-45 ans, bonne situation, aimant la vie et ayant le sens de l'humour, pour partager voyages, sport, nature, musique ou pour relation durable.
> Écrire journal.

1. H. 45, cél., gd. b. sit., ch. JF 27-38, dce, b. éduc., pr rel. dur.

. . . .

. . . .

2. F. 40 a., br., b. sit., dés. rencontrer comp. H, passion., sens., ay. s. de l'hum.

. . . .

. . . .

7 ÉCRIVEZ VOTRE PROPRE ANNONCE.

. . . .

. . . .

. . . .

. . . .

QUELLES QUALITÉS FAUT-IL ?

Ce sont tous des professionnels.

1 POUR QUELS MÉTIERS L'EXIGE-T-ON ?

Une vue excellente → pilote d'avion

1. Une bonne orthographe → ....

2. Un permis de conduire les poids lourds → ....

3. Une maîtrise en biologie → ....

4. La pratique de deux langues étrangères → ....

5. Deux ans d'expérience sur ordinateur → ....

2 QU'EST-CE QU'ON PEUT LUI FAIRE FAIRE ?

→ Un directeur d'agence de voyages prend un stagiaire. Dites ce qu'il va lui faire faire en choisissant dans la liste suivante.

Faire + infinitif
Demander de + inf.

Coller des timbres sur des enveloppes – trier le courrier qui arrive – donner des renseignements au téléphone – utiliser l'ordinateur pour chercher des renseignements sur les horaires et les prix – établir des itinéraires – recevoir, renseigner et conseiller les clients – organiser des circuits – discuter avec les compagnies aériennes et les hôteliers – accompagner des groupes...

On lui demandera ....

Il aura à ....

On lui fera ....

3 UNE BONNE NOUVELLE !

➔ Au téléphone, le directeur de l'agence de voyages annonce au stagiaire qu'il le prend.

– Allô. Ici l'agence Delta. Pourrais-je parler à monsieur Valton ?

– ....

– Ah, c'est vous ! Très bien. Je vous appelle pour vous dire que vous pouvez commencer dès lundi matin.

– ....

– Les premiers jours, vous aurez des tâches simples à accomplir, comme trier le courrier ou répondre au téléphone. Vous observerez ce qui se passe dans l'agence, comment on répond aux clients.

– ....

– Non, pas pendant tout le stage ! Après, vous apprendrez à interroger l'ordinateur pour renseigner les clients.

– ....

– Oui, vous accompagnerez quelques groupes.

– ....

– Très bien. Vous viendrez dans mon bureau en arrivant lundi matin.

4 QUEL GENRE DE TRAVAIL AIMERIEZ-VOUS AVOIR ?

J'aimerais un travail qui me permette de voyager.

Fait souhaité au subjonctif

1. Être bien payé

....

2. Offrir des facilités de formation

....

3. Être proche du domicile

....

4. Assurer la sécurité de l'emploi

....

5. Faire rencontrer des gens

....

6. Permettre une promotion rapide

....

5 EN QUOI CONSISTENT-ILS ?

➜ Caractérisez les métiers suivants.

Lexique
Analyse

métier	tâches	qualités personnelles
pilote		
médecin		
architecte		
chef de publicité		

6 L'UN EST SÛR, L'AUTRE PAS.

➜ Complétez les phrases.

Valeur de l'indicatif
et du subjonctif

1. – Je crois qu'il (être fait pour ce travail) . . . .

– Moi, je ne crois pas qu'il . . . .

2. – C'est un homme qui (avoir le sens de l'organisation) . . . .

– Moi, j'ai peur qu'il . . . .

3. – Je suis sûr qu'il (faire un bon chef de chantier) . . . .

– Je ne suis pas sûr . . . .

4. – Je crois qu'on (pouvoir lui faire confiance) . . . .

– Je ne crois pas qu'on . . . .

5. – Je pense qu'il (falloir le prendre à l'essai) . . . .

– Je ne pense pas qu'il . . . .

Lequel choisir ?

7 PASSIF OU PASSÉ COMPOSÉ ?

➜ Faites la liste des passifs et des passés composés du texte.
«Lequel choisir?» (p. 42 de votre manuel)

Passif ≠ Passé composé

Passifs	Passés composés
. . . .	. . . .
. . . .	. . . .
. . . .	. . . .
. . . .	. . . .
. . . .	. . . .
. . . .	. . . .

8 QUEL EST L'ÉQUIVALENT ?

→ Transformez ces passifs.

La société doit être réorganisée.
On doit réorganiser la société.

On + verbe à la voix active
comme équivalent du passif

1. Il n'a pas été promu.

....

2. Elle est très appréciée.

....

3. Sa compétence n'est pas discutée.

....

4. Elle n'est pas connue.

....

5. L'avenir de la société est joué en ce moment.

....

9 ÇA DOIT ÊTRE COMPRIS.

→ Mettez les phrases au passif.

Pouvoir, vouloir, devoir
+ infinitif passif

1. Un bon patron doit comprendre les revendications du personnel.

....

2. Un chef de service peut représenter les employés.

....

3. Toute l'équipe doit accepter le projet.

....

4. On peut embaucher des fonctionnaires sur concours.

....

5. Vous devez les prévenir quand vous partez.

....

10 TESTEZ LES CANDIDATS.

→ Quelles doivent être les qualités du directeur de production ?
(En plus de celles énumérées dans le premier paragraphe.)

Il faut qu'il soit compétent.
Il est indispensable qu'il ait le sens des relations humaines.

Fait souhaité au subjonctif

1. Relations avec la direction :

....

2. Relations avec le personnel :

....

3. Sens des responsabilités :

....

4. Énergie et patience :

....

5. Créativité :

....

6. Sens de l'organisation :

....

11 LE BON ACCORD !

→ Faites l'accord.

L'accord du COD
et du participe passé.

1. C'est l'homme que j'ai vu... hier.

2. Tu les as reconnu..., ces deux femmes ?

3. Vous n'avez pas croisé... ma fille dans l'escalier ?

4. Tu lui as demandé... avec qui elle avait rendez-vous ?

5. Les photos de mariage, où les as-tu rangé... ?

12 QU'EST-CE QUI DOIT ÊTRE AMÉLIORÉ DANS VOTRE VILLE ?

→ Attention à l'accord sujet/participe passé.
Circulation / réglementer
La circulation doit être réglementée.

Devoir + inf. passif

1. Transports / réorganiser

....

2. Sécurité / assurer

....

3. Des supermarchés / ouvrir

....

4. Les chiens / tenir en laisse

....

5. Un métro / construire

....

Il se cachait...

1 QUEL EST L'ÉQUIVALENT ?

→ Trouvez les mots correspondant à ces définitions.

Lexique

1. marques laissées par les doigts sur un objet : ....

2. qu'on a fait disparaître : ....

3. pauvres : ....

4. c'est logique : ....

5. avec l'air de penser à autre chose : ....

6. on en a assez : ....

2 QU'EST-CE QUE JEAN LESCURE A DÛ FAIRE ?

→ Faites des suppositions. Pensez à tout ce qu'il a dû faire pendant ces années.

Pour se protéger. Il a dû se cacher pendant des années.

1. Pour se réfugier à l'étranger : ....

2. Pour changer de nom : ....

3. Pour être resté si longtemps hors de France : ....

4. Pour revenir en France : ....

5. Pour finir assassiné : ....

3 QUELQUE CHOSE DE BIZARRE !

→ Dites ce que vous pensez des gens, des objets, des événements.

Utilisez : gentil / curieux / beau / intelligent / courtois...

La photo, c'est quelque chose de curieux.

Quelqu'un de + adj.

Quelque chose de + adj.

1. La concierge .... **4.** L'histoire ....

....

2. La robe de mariée .... **5.** Le commissaire ....

....

3. Les empreintes .... **6.** Jean Lescure ....

....

Questionnement

4 QU'EST-CE QU'ILS ONT DEMANDÉ ?

→ Lisez les réponses et trouvez les questions.

1. ....

– Ça n'a rien donné.

2. ....

– Oui, entre 10 h 30 et 11 heures du soir.

3. ....

– (Elle s'est terminée) à 10 h 10.

4. ....

– Quelque chose d'intéressant.

5. ....

– Oui, c'est le 13 décembre 197...

6. ....

– Dans un magasin de luxe.

Mise en valeur,
reprise avec pronom

5 QUE PEUT DIRE LE COMMISSAIRE POUR METTRE LE FAIT EN VALEUR ?

Vous avez des indices ? Des indices, vous en avez ?

1. La photo : ....

2. La robe : ....

3. Des empreintes : ....

4. Le numéro de Sécurité sociale : ....

5. Les papiers : ....

Hypothèses

6 NE VOUS ENGAGEZ PAS TROP !

→ Prenez vos précautions car vous ne pouvez pas donner la réponse avec certitude.

Pourquoi est-ce qu'on l'a tué ?
– Je crois qu'il s'agit d'un crime crapuleux.
– Il s'agit probablement d'un crime crapuleux.
– Ça doit être un crime crapuleux.

1. Pourquoi est-ce qu'on n'a pas effacé les empreintes ?

– ....

2. Pourquoi est-ce qu'il n'est pas rentré chez lui directement ?

– ....

3. Pourquoi est-ce qu'il a changé de nom ?

– ....

4. Pourquoi est-ce qu'il est revenu en France?

– ....

5. Pourquoi est-ce qu'il ne parlait pas aux gens?

– ....

 # *Un chef, comment s'en servir ?*

---

1 INFLUENCER ET DIRIGER

→ Dans le texte «Un chef, comment s'en servir?», trouvez les mots et expressions qu'on peut regrouper autour des deux concepts suivants:

1. influencer les autres: ....

2. diriger les autres: ....

2 Y A-T-IL UN IDÉAL?

Quel est, d'après vous:

1. le chef idéal,

2. l'employé idéal ?

Choisissez un des deux sujets ci-dessus et rédigez votre texte sans arrêter d'écrire pendant cinq minutes. Puis relisez ce que vous avez écrit et améliorez votre texte.

....

....

....

....

....

....

Le goût de l'aventure

1 RAPPROCHEZ LES FORMES.

➜ Trouvez le futur de ces verbes.

Futur / Infinitif

1. quitter . . . .

2. devenir . . . .

3. obtenir . . . .

4. convaincre . . . .

5. devoir . . . .

6. aller . . . .

7. faire . . . .

8. vouloir . . . .

2 C'EST DANS LE TEXTE !

➜ Complétez les phrases avec des expressions ou des mots du texte.

Lexique

1. Nous allons partir . . . . un grand voyage.

2. Si vous avez besoin de moi, je me . . . . à votre équipe.

3. Cette voiture a été préparée par nos . . . .

4. On arrive toujours . . . . réaliser ses rêves.

5. On finit . . . . partir.

6. Vous rencontrerez des . . . . de difficultés.

7. Nous pourrons y . . . . face.

3 OÙ SONT-ILS ?

➜ Trouvez dans la grille les mots liés à l'idée d'aventure.

```
G T O U R D U M O N D E
B R O U T E S B O L O R
E L A L I B E R T É D U
D O I M C O N Q U Ê T E
C O B R D É V A S I O N
T O S E R D L I M I T E
D É C O U V E R T E S Y
V O Y A G E S P A R T I
C R I S Q U E S A L O U
V E R A V E N T U R E S
D É P A Y S E M E N T S
B O U L O I N T A I N O
```

4 **QUE POURRONT FAIRE LES VACANCIERS ?**

➜ Complétez.

Hypothèse
si + présent/futur

1. S'ils vont dans les gorges du Verdon, ...

2. Si tu vas dans le Quercy, ...

3. Si vous choisissez les Alpes, ...

4. Si tu veux découvrir la Bretagne, ...

5. Si vos amies aiment glisser sur les canaux, ...

5 **ELLE IRA EN VACANCES CHEZ EUX.**

➜ Complétez le dialogue en utilisant le futur ou le futur antérieur.

Le futur et le futur antérieur

– Quand est-ce que vous (revenir) .... ?

– Quand Olivier (terminer) .... son contrat.

– Et toi, tu (pouvoir) .... travailler ?

– Peut-être, quand j' (apprendre)................. la langue.

– Vous (sortir) .... beaucoup ?

– Oui, quand on (se faire) .... des amis.

– Et Justine, elle (faire) .... ses études là-bas ou en France ?

– Elle (rentrer) .... en France quand elle (passer) .... son bac.

– Tu m' (inviter)................. ?

– Bien sûr dès qu'on (trouver) .... une maison.

6 **QUELS SONT LES ADVERBES CORRESPONDANTS ?**

Adverbes de temps

➜ Complétez le tableau.

Passé	Présent	Futur
avant-hier	....	....
hier	aujourd'hui	....
lundi dernier	....	....
il y a trois jours	....	dans trois jours
la semaine dernière	....	....
pendant un mois	....	....

7 **C'EST POUR PLUS TARD !**

➜ Transposez au futur.

Futur + adverbe de temps

1. Ils sont partis il y a un mois.

....

2. Nous sommes revenus lundi dernier.

....

3. Ils ont escaladé la montagne avant-hier.

....

4. Elle a fait du deltaplane l'année dernière.

....

5. Tu es descendu dans le gouffre le mois dernier ?

....

8 **QU'AUREZ-VOUS FAIT DANS DIX ANS ?**

➜ Dites tous les rêves, même les plus fous, que vous aurez réalisé dans dix ans.

Faites du trekking au Népal

Goûtez les joies d'un safari-photo au Kenya

Dans dix ans, j'aurai fait du trekking au Népal...

....

....

....

....

....

....

....

9 VOUS L'AVIEZ DÉJÀ FAIT ?

→ Demandez s'ils l'avaient déjà fait. Complétez les phrases avec «aller, sauter, voyager, faire, visiter» et l'adverbe «déjà».

Tu ... avais déjà fait ... de l'alpinisme avant de venir dans les Alpes ?

Plus-que-parfait

1. Tu . . . . du canoë kayak ?

2. Vous . . . . en Bretagne ?

3. Ils . . . . les châteaux de la Loire ?

4. Elle . . . . toute seule ?

5. Tu . . . . du haut d'un pont, retenu par un élastique ?

10 VOUS AVIEZ BEAUCOUP AIMÉ !

→ Mettez les verbes au temps qui convient.

Plus que parfait
passé composé.

Je suis retournée en France parce que j'avais beaucoup aimé mon premier séjour. J' (rester) . . . . quelques jours au bord de la Loire chez des amis. Je les (connaître) . . . . à Paris le soir du 14 Juillet. Nous (faire) . . . . ensemble tous les bals de quartier. Nous (rire) . . . . beaucoup ! Je les (revoir) . . . . le lendemain et ils m' (proposer) . . . . d'aller les voir. Ils avaient une très belle maison en Touraine, mais ils (déménager) . . . . l'année dernière. Ils (partir) . . . . vivre sur la Côte d'Azur. C'est là que j' (passer) . . . . mes vacances.

Je suis en règle, moi !

1 COMPLÉTEZ AVEC DES MOTS OU DES EXPRESSIONS DU DIALOGUE.

Lexique

1. Je me souviens très bien du . . . . de cette chanson.

2. Attends ! On vient d'arriver. J'ai eu . . . . le temps de m'asseoir.

3. J'ai soif. On va . . . . ?

4. Ce n'était pas un homme comme tout le monde. C'était un . . . .

5. À la fin d'une journée, il y a beaucoup d'argent dans les . . . . d'un supermarché.

6. Il a . . . . être l'auteur du vol.

7. Le lundi matin, l'entreprise . . . . quelques nouveaux ouvriers.

8. Tu n'as pas à avoir peur. Ne t'en . . . .

Hypothèses

2 ON PEUT TOUJOURS LE SUPPOSER !

1. Si on demande à Ali, il ....
(se souvenir de l'histoire)

2. Si on embauche Frémont, il ....
(prendre de l'argent)

3. S'il vole, on le ....
(renvoyer)

4. Si on a son adresse, on le ....
(trouver)

5. Si on le trouve, on ....
(ne rien dire)

3 EXPRIMEZ SOIT LA CERTITUDE, SOIT L'ESPOIR.

Il faut qu'il parle.   *Je suis sûr qu'il parlera.*   *J'espère qu'il parlera.*

1. Il faut qu'il s'en souvienne.

....

2. Il doit le dire.

....

3. Il faut qu'il le rende.

....

4. Il doit partir.

....

5. Il ne faut pas qu'il s'en fasse.

....

4 QU'EST-CE QUI A DÛ SE PASSER ?

➜ Donnez une explication. Utilisez «devoir».

Lescure changeait souvent de travail.
Il devait penser que c'était dangereux de rester trop longtemps au même endroit.

Devoir, sens de probabilité

1. Lescure a surpris Frémont en train de voler. ....

....

2. En partant, Frémont a crié à Lescure : «J'aurai ta peau !» ....

....

3. Lescure ne parlait pas beaucoup aux autres. ....

....

4. Quand il a vu les inspecteurs, Ali leur a crié qu'il était en règle. ....

....

5. On a dit aux deux inspecteurs que Frémont avait menacé Lescure. ....

....

Actes de parole

5 **RASSUREZ-LES**

Votre ami(e) va dans un endroit qui ne lui plaît pas. Il/Elle a besoin d'être rassuré(e). Que lui dites-vous dans ces situations?

....

....

....

....

Le courrier des lecteurs

1 **QU'EST-CE QUE L'AVENTURE?**

➔ Reprenez les mots que vous avez trouvés dans la grille de l'exercice 3 et donnez votre propre définition de l'aventure.

....

....

....

2 VOUS POUVIEZ L'INTERVIEWER !

→ Lisez l'article suivant et imaginez les questions que le journaliste a posées à Olivier de Kersauzon avant son départ.

«Je ne jouerai pas avec la mort. Je lui ferai face.» C'est ce que nous a déclaré Olivier de Kersauzon. «Je battrai le record du tour du monde en solitaire sans escale, qui appartient, en 150 jours, à un Américain.»

«Il me faudra trois ans pour préparer mon voyage. Je serai obligé de faire des dettes. Je vendrai ma maison et je prendrai une assurance-vie pour garantir l'avenir de ma femme et de mon fils s'il m'arrive un accident. J'espère qu'un sponsor me fournira les huit millions de francs nécessaires à la construction de mon trimaran. Il faudra de 15 à 17 000 heures de travail pour le réaliser !

«Un jour je prendrai la mer, seul, pour quatre mois, et je ferai de mon mieux.»

....

....

....

....

....

....

....

CHOISISSEZ LE MEILLEUR.

 Les idées de la semaine

1 OBSERVEZ CES OBJETS.

62000F

1480F   2390F   7000F   300F

Décrire des objets

taille	forme		matière ou matériaux	
petit	rond	rectangulaire	acier	plastique
grand	sphérique	triangulaire	bois	coton/laine/nylon
	carré		cuir	verre

1. En quoi sont ces objets? ....
....

2. Quelle taille ont-ils? / Quelle est leur taille? ....
....

3. Quelle forme ont-ils? ....
....

4. Quel est leur prix? / Combien coûtent-ils? ....
....

5. À quoi est-ce qu'ils servent? ....
....

2 QUELLES SONT LEURS PROPRIÉTÉS?

➡ Formez des adjectifs en **-able** à partir de ces verbes.

Adjectifs en **-able**

1. Aucun de ces objets n'est .... (jeter)

2. Tous ces objets, sauf le piano, sont .... (porter)

3. Plusieurs de ces objets sont .... (casser)

4. L'appareil photo et la calculatrice sont .... (régler)

5. Aucun de ces objets n'est . . . . (plier)

6. Le casque de motocycliste est . . . . (adapter)

7. Aucun de ces objets n'est . . . . (incliner)

3 QUE POUVEZ-VOUS EN DIRE ?

Cette femme a un quotient intellectuel de 160.
Elle est supérieurement intelligente.

Le superlatif absolu

1. Cet homme mesure 2,10 m.

2. Ce champion court le 100 mètres en 10 secondes.

3. Ces gens ont beaucoup d'amis.

4. Il a traversé l'Atlantique à la nage. Quelle résistance !

5. Tout le monde connaît cet acteur.

4 QU'EST-CE QUE VOUS FEREZ RÉPARER ?

➔ Vous venez d'acheter cette vieille voiture. Que faut-il faire refaire ?

Lexique

Futur
Faire + infinitif

la carrosserie

le pare-brise

le volant

le capot

le coffre arrière

le moteur

la portière

le pare-choc

le siège

la roue

une aile

le pneu

Recouvrir, refaire, remplacer, réparer, repeindre, changer, vérifier . . . .

. . . .

. . . .

5 QU'EST-CE QU'ELLE LUI FAIT FAIRE ?

Faire + infinitif

➔ Qu'est-ce qu'elle lui fait faire ?

. . . .

. . . .

Le saviez-vous ?

6 QUEL EST LE MEILLEUR ?

➜ Comparez-les.

la moto / la voiture / l'avion
L'avion est le moyen de transport le plus agréable.
La moto est le plus dangereux.
La voiture est le plus confortable.

1. les vacances à la mer, à la campagne, à la montagne

2. le football, le basket-ball, le rugby

3. le cinéma, le théâtre, la télévision

4. le ballet classique, la danse moderne, les danses folkloriques

5. la guitare, le violon, le piano

7 QUEL EST LE PLUS BEAU ?

➜ Observez le tableau ci-dessous, puis choisissez un de ces chiens et décrivez-le avec précision.

Le superlatif
Lexique

nom	Ondine	Prince	Diane	Rex
race	berger allemand	caniche	collet	basset
hauteur	65 cm	50 cm	58 cm	22 cm
poids	38 kg	16 kg	27 kg	9 kg
âge	7 ans	2 ans	3 ans	4 ans
sexe	femelle	mâle	femelle	mâle
couleur	fauve et noir	noir	fauve et blanc	brun roux
autres caractéristiques	oreilles droites et pointues	poil court et bouclé, petite queue, museau court	poil long, museau allongé	oreilles pendantes, corps allongé, poil ras

1. Quelle est la plus grosse des deux femelles?

....

2. Lequel a le museau le plus court? Le plus allongé?

....

3. Lequel est le plus haut? Le plus lourd?

....

4. Quel est le plus vieux des deux mâles?

....

Continuez les comparaisons. ....

....

....

Pas très honnête, ce Frémont.

1 QUEL EST L'ÉQUIVALENT?

→ Trouvez, dans le dialogue, des mots ou des expressions de sens équivalant aux expressions ci-dessous.

Lexique

1. Un bon à rien, malhonnête : ....

2. De petits jobs : ....

3. Éliminer : ....

4. Comprendre la situation : ....

5. Moyens plus ou moins honnêtes de gagner de l'argent : ....

6. Être reconnu coupable par un tribunal : ....

2 QUE POUVEZ-VOUS DIRE DANS CES SITUATIONS?

→ Mettez en rapport situation et acte de parole.

Actes de parole

1. Vous venez de rater votre train.

2. Un inconnu demande à vous voir.

3. On vous propose une affaire malhonnête.

4. Vous voulez examiner toutes les possibilités.

5. Un ami vous cause un préjudice grave.

a. Me faire ça à moi!

b. C'est bien ma veine!

c. C'est pour quoi?

d. Je ne joue pas à ce petit jeu.

e. Il ne faut écarter aucune piste.

3 | C'EST À PEU PRÈS ÇA.

Il avait environ quarante ans.
Il avait une quarantaine d'années.
Il avait à peu près quarante ans.

Nombre + -aine = environ,
à peu près + nombre

1. Il y en avait à peu près cent.

....

2. J'avais 20 ans environ.

....

3. Il y a à peu près dix ans.

....

4. Ils étaient une cinquantaine.

....

4 | DEPUIS QUAND ?

Depuis quand est-ce que vous ne l'avez pas vu ?
Ça fait longtemps que je ne l'ai pas vu.
Il y a longtemps que je ne l'ai pas vu.
Depuis longtemps.
Ça ne fait pas longtemps que je l'ai vu. Etc.

Depuis, il y a...

1. Ça fait combien de temps que Frémont vit dans sa roulotte ?

....

....

2. Il y a combien de temps que la disparition de Jean Lescure a été signalée ?

....

....

3. Depuis quand est-ce que vous étudiez le français ?

....

....

4. Ça fait combien de temps que vous lisez le même journal ?

....

....

5. Depuis combien de temps est-ce que vous habitez votre appartement ?

....

....

6. Il y a combien de temps que vous n'êtes pas allé(e) au théâtre ?

....

....

5 À QUI EST-CE !

➜ Complétez la question et répondez.

C'est ton sèche-cheveux ou .... ?
C'est ton sèche-cheveux ou le mien ?
C'est le mien.

Les pronoms possessifs

1. Ce sont les lunettes de ta sœur ou ce sont .... ?

....

2. Ce sac est à Jean, ou c'est .... ?

....

3. Ce livre est à tes parents, ou c'est .... ?

....

4. Ces papiers sont à ton frère ou ce sont .... ?

....

5. Ces chaussures sont à ton amie ou ce sont .... ?

....

6 CE NE SONT PAS LES LEURS !

Les pronoms possessifs

1. J'ai oublié mon stylo ! ➜ – Tiens, prends ....

2. Vous prenez mes lunettes ! ➜ – Mais non, ce sont ....

3. C'est la vôtre ? ➜ – Non, c'est ....

4. Ce sont les tiennes ? ➜ – ....

7 C'EST AGRÉABLE À ENTENDRE !

Il faut du temps pour vérifier ça ! (long)
– Oui, c'est long à vérifier.

Adjectif + **à** + infinitif

1. N'importe qui peut faire ça ! (facile)

– ....

2. On peut manger ces fruits ? (bon)

– ....

3. Qu'est-ce que tu penses des renseignements qu'on t'a donnés ? (utiles)

– ....

4. Va lui raconter tout ça. (difficile)

– ....

5. Tu as visité ce musée ? (intéressant)

– ....

8 INVENTEZ LA RÉPLIQUE QUI PRÉCÈDE.

Il faut que je réfléchisse.
Réplique précédente possible : « Alors, tu l'achètes cette voiture ? »
ou « Tu es décidé, nous partons en vacances ensemble ? »

1. ....

– Ça ne vous regarde pas.

2. ....

– D'accord, mais ça peut attendre un peu.

3. ....

– Non, merci. Je n'ai besoin de rien.

4. ....

– Il pensait que c'était la sienne.

5. ....

– C'est bien notre veine !

Le coin gourmand.

1 OÙ IREZ-VOUS ?

BISTROT DU 17e – 108, av. de Villiers, 75017, 47 63 32 77.

La meilleure adresse du 17e ? C'est bien possible dans le rapport qualité-prix. À 155 F apéritif, vin et café compris, une cuisine selon les saisons, un accueil aimable et empressé. Tous les jours 12 h-15 h, 19 h-0 h.   CB-AE

LE COUPE-CHOU – 9-11, rue de Lanneau, 5e, 46 33 68 69. Une cheminée, des poutres, des fleurs, des bougies. Le charme romantique d'une belle maison Louis XIII. Un menu carte à 280 F (15 entrées, 15 plats, 15 desserts au choix). Foie gras frais maison, confit d'oie, assiette du pêcheur, mille-feuilles. Ouvert tous les jours sauf dimanche midi. Salons particuliers.   CB

LE DÔME DE VILLIERS – 4, avenue de Villiers, 17e, 43 87 28 68. La nouvelle grande brasserie de la place de Villiers. Un décor original digne des plus grandes brasseries parisiennes. Cuisine traditionnelle, poissons, coquillages et huîtres toute l'année. Accueil attentif et chaleureux.

JEAN-MARIE JORDAN ex-RAFFATIN ET HONORINE **– 16, bd St-Germain, 75005, 43 54 22 21.** Une cuisine classique composée de produits de qualité, sélectionnés suivant le marché. Un accueil chaleureux dans un décor feutré. Menu vin compris 99 F, carte 120/250 F.   CB-DC

LA TOUR D'ARGENT – pl. de la Bastille, 75012, 43 42 90 32. « L'adresse » du nouveau quartier à la mode. Cuisine de qualité dans l'esprit brasserie de luxe. Poissons, plats traditionnels, huîtres toute l'année et à emporter.

Ts les jours de 11 h 30 à 2 h du matin. 220 / 250 F.   CB-AE-CD

RESTAURANT DESVINS – 3, rue St-Sauveur, 2e, 42 36 71 90.

Au centre de Paris, ouvert récemment. Une cuisine traditionnelle : pot-au-feu, cassoulet, jambon chaud au chablis. Ouvert midi et soir, sauf samedi midi et dimanche, ouvert samedi soir.

YVONNE – 13, rue de Bassano, 75016, 47 20 98 15.

Dans un cadre confortable des années 50, une vieille cuisine française : poissons, plats régionaux, gibiers et huîtres en saison. Carte 250 / 300 F, diplômé Club P. Montagné, fermé vendredi soir, samedi. Ouvert dimanche, salle climatisée.   CB-MC

VIEUX SAUMUR – 47, rue de l'Arbre-Sec, 1er, 42 60 90 66.

« Ce restaurant a déménagé pour poser son coq au vin de Brouilly. C'st sympathique et sérieux », Ph. C. Cuisine traditionnelle, foie de veau poêlé lyonnaise, pot-au-feu aux 3 viandes, ris de veau mitonné aux morilles (vins de Loire et du Beaujolais), menu midi et soir 120 F, carte 200 F.   CB

Vous cherchez un menu à moins de 100 francs, vin compris.
– Nous irons chez Jean-Marie Jordan.

1. ... le cadre le plus romantique. ....

2. ... une brasserie à la mode. ....

3. ... de la cuisine traditionnelle. ....

4. ... des plats régionaux. ....

5. ... le meilleur rapport qualité-prix. ....

6. ... les huîtres et les coquillages les plus frais. ....

7. ... un restaurant qui ouvre le dimanche. ....

8. ... le restaurant qui ferme le plus tard. ....

2 AIDEZ-LES À CHOISIR.

→ Conseillez deux de ces restaurants à un de vos amis. Écrivez sur une feuille séparée.

3 VOUS ÊTES ALLÉ(E) DANS UN DE CES RESTAURANTS.

→ Vous n'avez pas été satisfait. Écrivez vos impressions sur une feuille séparée.

Décrivez un tableau.

4 **DÉCRIVEZ CE DESSIN DE VAN GOGH :**
     « LA CHAMBRE DE VAN GOGH À ARLES » (1888)

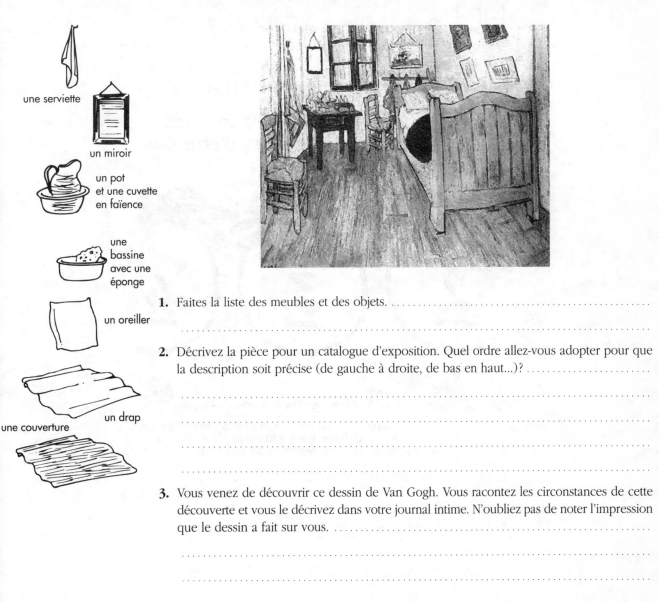

une serviette

un miroir

un pot
et une cuvette
en faïence

une
bassine
avec une
éponge

un oreiller

un drap

une couverture

1. Faites la liste des meubles et des objets. . . . .
. . . .

2. Décrivez la pièce pour un catalogue d'exposition. Quel ordre allez-vous adopter pour que
la description soit précise (de gauche à droite, de bas en haut...)? . . . .
. . . .
. . . .
. . . .
. . . .

3. Vous venez de découvrir ce dessin de Van Gogh. Vous racontez les circonstances de cette
découverte et vous le décrivez dans votre journal intime. N'oubliez pas de noter l'impression
que le dessin a fait sur vous. . . . .
. . . .
. . . .
. . . .
. . . .

Que font ces publicités ?

1 **NE SOYEZ PAS DE SIMPLES MATRICULES !**

L'Espace Accent habille tous les hommes qui en ont assez d'être pris pour des matricules.

Analyse de pub

Accent Parce que chaque homme est unique.   PURE LAINE VIERGE WOOLMARK

En prêt-à-porter et en sur-mesure, la plus grande invention depuis que l'homme s'habille. Dans 230 magasins en France. Liste des points de vente Accent au 88.63.21.23.

1. Quel est le produit annoncé ?

....

2. Quel genre de magasin est Espace Accent ?

....

3. Combien y en a-t-il en France ?

....

4. Où peut-on obtenir leurs adresses ?

....

5. Que représente l'image et que signifie-t-elle ?

....

6. Quel est le message de cette pub pour les hommes ?

....

Partons en campagne !

Le participe présent

2 TROUVEZ LE PARTICIPE PRÉSENT.

→ Écrivez les participes présents des verbes suivants :

mendier . . . .   faire . . . .   vouloir . . . .

savoir . . . .   être . . . .   voir . . . .

finir . . . .   vendre . . . .   sortir . . . .

avoir . . . .   choisir . . . .   dormir . . . .

aller . . . .   prendre . . . .   porter . . . .

3 C'EST EN FORGEANT QU'ON DEVIENT FORGERON !

→ Créez des proverbes sur le modèle de «C'est en forgeant qu'on devient forgeron.»

Le gérondif

Pensez à : danser, écrire, peindre, chanter...

. . . .

. . . .

4 IL VEUT DES CONSEILS !

Les doubles pronoms

– Tu crois que je peux demander des conseils aux publicitaires de l'agence ?

– Mais oui, demande- . . . .

– Ils me proposeront un thème ?

– Oui, ils . . . . proposeront un.

– Tu sais, j'ai fait un projet.

– Alors, montre- . . . .

– Je préfère qu'ils me donnent leurs idées d'abord.

– Tu as raison. Il vaut mieux qu'ils . . . . donnent.

5 GÉRONDIF OU PARTICIPE PRÉSENT ?

→ Mettez les verbes entre parenthèses soit au participe présent, soit au gérondif selon le sens.

Participe présent et gérondif

Un publicitaire, (voir) . . . . un mendiant dans la rue, lui donne un conseil. (changer) . . . . son slogan, il peut attirer l'attention des gens (passer) . . . . près de lui. C'est pourquoi le mendiant, (suivre) . . . . le conseil qui lui a été donné, remplace son appel à l'aide par un texte (inspirer) . . . . plus poétiquement la pitié. (lire) . . . . le nouveau slogan, les passants sont touchés par un homme (savoir) . . . . si bien décrire sa condition.

6 DE QUEL PRODUIT S'AGIT-IL ?

→ Pour quels produits a-t-on créé les slogans suivants ?

1. La vie est trop courte pour s'habiller triste ! ....

2. On n'a jamais trouvé aussi bien pour perpétuer la tradition. ....

3. Auto macho, auto bobo ! ....

4. Il faut que l'eau vive ! ....

5. Aujourd'hui, les métiers n'ont pas de sexe. ....

A l'école, orientons-nous toutes directions.

Les métiers n'ont pas de sexe.

CAMPAGNE NATIONALE D'INFORMATION SUR L'ORIENTATION DES FILLES.

Coup de théâtre

1 METTEZ DE L'ORDRE !

1. On peut entrer ?

2. Ne discute pas. On t'emmène.

3. Quelle nouvelle !

4. C'était Jean Lescure ?

5. Allez, décidez-vous !

6. Tu te souviens de l'affaire «Rêve 2000» ?

a. Oui, ça va faire du bruit !

b. Je ne sais pas quoi vous dire.

c. Oui, en personne.

d. Je me plaindrai.

e. Oui, je vous en prie.

f. Tu parles ! Une affaire comme ça, ça ne s'oublie pas.

2 QU'EST-CE QUE LES INSPECTEURS VEULENT SAVOIR ?

Que faisait Frémont cette nuit-là ?
– Ils veulent savoir ce que Frémont faisait cette nuit-là.

Interrogation indirecte

1. Où était Frémont cette nuit-là ?

– ....

2. Avec qui était Frémont ce soir-là ?

    – ....

3. Qu'est-ce que Frémont a fait pendant cinq heures au café ?

    – ....

4. Pourquoi Frémont va-t-il dans un café si éloigné de chez lui ?

    – ....

5. Frémont a-t-il tué Lescure ?

    – ....

3 COMPLÉTEZ LES PHRASES SUIVANTES PAR DES EXPRESSIONS DU TEXTE :

sans blague – ça va faire du bruit – ne joue pas au petit malin – rafraîchir la mémoire – décide-toi

Actes de parole

1. Alors, tu lui as demandé ou tu ne lui as pas demandé, ...

2. Qu'est-ce que tu as fait de cet argent ?

– Je l'ai perdu, ce sont des choses qui arrivent, non ?

    – ....

3. Ça y est, c'est décidé, je quitte tout et je pars.

    – ....

4. Quand tu vas leur en parler, ...

– Je ne sais absolument pas de quoi vous voulez parler.

– Ah non ? Vous voulez que je ....

4 LES INSPECTEURS INTERROGENT FRÉMONT.

➡ Alors, ces questions, on les lui pose ?

Doubles pronoms

1. Bon, cette histoire, tu vas .... raconter ?

2. Alors, ces noms, tu .... donnes ?

3. Eh bien, cette adresse, tu .... rappelles ?

4. Dis, ces renseignements, tu .... fournis ?

5. Alors, la mémoire, tu veux qu'on .... rafraîchisse ?

5 DE QUOI S'AGIT-IL ?

➡ Devinez de quoi il s'agit.

On vient de la lui téléphoner de Bordeaux.
Il s'agit de l'information concernant l'identité de Lescure.

Questionnement

1. Les inspecteurs les lui ont posées. ....

2. Frémont la leur a donnée. ....

3. Il y était avec des amis. ....

4. Il s'en souvenait bien. ....

5. Il ne voulait pas les leur donner. ....

6 | FRÉMONT RACONTE.

Frémont va retrouver ses amis au café. Ils lui demandent où il était les deux derniers jours. Il leur raconte son interrogatoire au commissariat...

– Tiens, Frémont, tu étais où ? On t'a cherché partout !

– ....

– C'est pas vrai ! Qu'est-ce qu'ils te voulaient ?

– ....

– Et pourquoi est-ce qu'ils voulaient savoir où tu étais ?

– ....

– Tu le connaissais ce gars-là ?

– ....

– Et ils ont retrouvé son corps où ?

– ....

– Eh, dis donc, c'est pas loin d'ici, ça !

– ....

Continuez leur conversation.

– ....

– ....

– ....

– ....

7 | DONNEZ DES INFORMATIONS SUR L'ENQUÊTE

→ Mettez les phrases suivantes au passif si c'est possible. Supprimez le complément d'agent s'il n'est pas nécessaire.

Les inspecteurs ont retrouvé Frémont.
Frémont a été retrouvé.

La transformation passive

1. Ils l'ont emmené au commissariat et l'ont interrogé. ....

2. Frémont se souvenait bien de l'affaire du vol. ....

3. Les inspecteurs ont vérifié ses déclarations. ....

4. Ils ont retrouvé ses amis. ....

5. On l'a relâché parce que son alibi était bon. ....

Mon Matra et moi...

---

1 **DÉCRIVEZ-LA.**

➡ Examinez cette publicité pour la Peugeot 205 GTI.

1. Quelle place occupe la voiture sur la photo ?

....

2. Où se trouve-t-elle ?

....

3. Qui se tient près de la voiture ? Comment est-il habillé ?

....

4. À quel personnage connu vous fait-il penser ? Indiana Jones ? James Bond ?

....

5. Que voit-on derrière la voiture ?

....

2 **QUEL EST LE MESSAGE ?**

1. Quel est le thème de la pub ?

....

2. Que suggère cette voiture en plein désert et le calme du conducteur en smoking ?

....

3. Quelles qualités attribue-t-on à la voiture avec le slogan ?

....

4. Quel est le public visé ? Que pensez-vous de cette pub ? Ferait-elle vendre chez vous ?

....

Si vous étiez...

1 **C'EST DANS LE TEXTE !**

→ Trouvez des expressions de sens équivalent dans le texte de la page 104.

Lexique

1. Être capable de faire face à ses responsabilités. *assumer*

....

2. Se reposer, se décontracter. *se détendre*

....

3. Se croire en danger.

.... *avoir constamment peur* ....

4. Être soumis au mécontentement, supporter les effets de l'irritation.

.... *subir la mauvaise humeur* ....

5. Être tendu et anxieux. *stressé*

....

2 **VOUS ÊTES STRESSÉ(E). QU'EST-CE QU'IL NE FAUT PLUS FAIRE ?**

→ Varier la façon de présenter les conseils :
Il ne faut plus que..., vous ne devriez plus..., il n'est plus possible de..., je vous conseille de ne plus...

Ne... plus

1. Travailler 12 heures par jour.

....

2. Sortir tous les soirs.

....

3. Refuser de partir en vacances.

....

3 **CES SOUHAITS SONT-ILS RÉALISABLES ?**

→ Transformez ces intentions en hypothèses souhaitées.

Quand je serai à la campagne, je me reposerai.
Si j'étais à la campagne, je me reposerais.

Si + imparfait / conditionnel

1. Quand ils seront en vacances, ils se détendront.

....

2. Quand nous serons en France, nous parlerons français.

....

3. Quand il le pourra, il fera de longues promenades.

....

4. Quand vous serez moins préoccupée, vous reverrez vos vieux amis.

....

5. Quand tu vivras à la campagne, tu auras un chien.

....

4 | ON PEUT LE SUPPOSER !

➜ Transformez ces quasi-certitudes en hypothèses.

Si vous choisissez ce métier, vous devrez assumer de lourdes responsabilités.
Si vous choisissiez ce métier, vous devriez assumer de lourdes responsabilités.

Hypothèses (irréel du présent)
(irréel du passé)

1. Si vous sentez votre position menacée, vous vous méfierez de tout le monde.

....

2. Si vous devenez médecin, vous aurez une vie très dure.

....

3. Si vous choisissez d'être contrôleur aérien, vous serez tout le temps stressé.

....

4. Si vous êtes nommé P-DG, vous travaillerez 12 heures par jour.

....

5. Si vous ne changez pas de métier, vous ne pourrez jamais vous détendre.

....

Radio santé.

5 | OÙ ONT-ILS MAL ?

La première personne a mal à la tête.
Il souffre de douleurs à la tête.

Avoir mal à ⎱ + partie
 ⎰ du corps

Souffrir de

....

....

....

6 | QUE LEUR CONSEILLEZ-VOUS ?

En faisant du sport, vous supporterez mieux votre régime.
Si vous faisiez du sport, vous supporteriez mieux votre régime.

Gérondif = condition

1. En allant à la campagne, vous vous détendrez.

....

2. En évitant le cheval, tu prends une sage décision.

....

3. En faisant attention, vous n'aurez pas de problèmes.

....

4. En pratiquant un sport brutal, vous aggravez votre mal.

....

5. En suivant ces conseils, vous guérirez plus vite.

....

7 | QU'EST-CE QU'ILS DEVRAIENT FAIRE OU NE PAS FAIRE ?

Il a tendance à grossir.
Il devrait suivre un régime / ne devrait plus manger de gâteaux.

Conseil avec :
**il devrait,
il pourrait,
il faudrait que...,
à sa place je...**

1. Ils sont stressés par leur travail.

....

2. Elle a mal au dos.

....

3. Il s'est fait une entorse.

....

4. Il est toujours assis.

....

5. Elle est toujours malade.

....

8 | RIEN N'EST SÛR.

➔ Récrivez les phrases en présentant les informations comme de simples possibilités.

Cet exercice doit permettre d'éliminer le mal au dos.
Cet exercice devrait permettre d'éliminer le mal au dos.

Le conditionnel

1. Ce médicament arrête le vieillissement.

2. On peut maigrir en mangeant ce qu'on veut.

3. Avec cette méthode vous parlerez français en un mois.

4. Grâce à ce remède, tous les malades guériront.

5. En reprenant le cheval, vous risquez de graves ennuis de santé.

Ça se complique.

---

1 CHOISISSEZ LE SENS QUE CES EXPRESSIONS ONT DANS LE DIALOGUE.

Lexique

1. mêlé à :

   a. mélangé à   b. impliqué dans   c. allié à

2. se débrouiller :

   a. se tirer d'affaire   b. se démêler   c. s'arranger

3. en douceur :

   a. doucement   b. sans attirer l'attention   c. dans la joie

4. coup d'œil :

   a. vue   b. regard rapide   c. intuition

5. perd du terrain :

   a. perd des terrains   b. prend du retard   c. risque d'être accusé

6. née de Latour :

   a. issue d'une tour   b. de Latour étant son nom de jeune fille

---

2 QU'EST-CE QUI AVAIT ÉTÉ DÉJÀ FAIT ?

→ Dites ce qui avait été déjà fait quand Berthier a demandé à ses inspecteurs de recommencer l'enquête. Complétez les phrases.

La liste des suspects (établir) ... avait déjà été établie.

1. Le corps de Lescure (retrouver)

   ....

2. Les emplois du temps (vérifier)

   ....

3. Les voisins de Lescure (interroger)

   ....

4. Plusieurs pistes (suivre)

   ....

5. Les deux principaux coupables (mettre sous les verrous)

   ....

3 DONNEZ L'ORDRE DE PARTIR DE PLUSIEURS MANIÈRES,

→ en commençant par la plus brutale pour terminer par la plus aimable.

....

....

....

4 DEMANDEZ-LE POLIMENT.

→ Faites des phrases. Soyez très poli.

Vous êtes à côté de quelqu'un qui fume et vous ne supportez pas la fumée.
Pourriez-vous éteindre votre cigarette, s'il vous plaît, je ne supporte pas la fumée.

Le conditionnel de politesse.

1. Vous avez un avion à prendre et vous êtes en retard. Vous voulez prendre un taxi mais il y a une personne avant vous à la station.

....

2. Vous avez un problème dans votre travail. Vous voulez en parler à votre chef de service qui est toujours très occupé.

....

3. On doit vous livrer un meuble, mais vous ne pourrez pas être là le jour prévu. Vous téléphonez pour qu'on vous change la date.

....

5 FAITES VOS RECOMMANDATIONS

→ Répondez en employant «aucun / aucune» soit comme adjectif, soit comme pronom indéfini.

Utilisez : oublier, laisser de côté, laisser sans surveillance, laisser passer, négliger.

Voyez tous les détails.
Ne négligez aucun détail. / N'en négligez aucun.

Aucun(e) peut être adjectif ou pronom indéfini

1. Faites toutes les vérifications.

....

2. Vérifiez tous les emplois du temps.

....

3. Surveillez tous les suspects.

....

4. Prenez toutes les précautions.

....

5. Voyez tous les aspects de l'affaire.

....

La gymnastique en douceur

1 DÉCRIVEZ CES MOUVEMENTS.

Lexique

....
....
....
....
....
....

2 QU'EST-CE QU'ILS DEVRAIENT FAIRE ?

→ Regardez les dessins, lisez les conseils et dites ce que ces gens devraient faire.

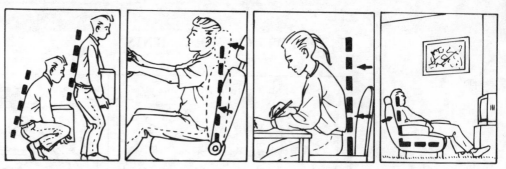

1. Gare à votre dos quand vous soulevez un paquet ! (Pour que l'exercice ne se transforme pas en accident, placez-vous en face du colis, ramassez-le jambes pliées et redressez-vous buste droit.)

2. La conduite automobile sportive fait mal au dos. (Il faut tenir le volant les bras souples, et non pas tendus. Le siège peut être reculé, mais le dossier ne doit être que légèrement incliné.)

3. Pour travailler, il ne faut pas se pencher. (Il est préférable de se caler bien droit contre le dossier du siège. Ainsi évite-t-on de pénibles douleurs de dos.)

4. On s'allonge dans un fauteuil devant la télévision en croyant se détendre. (Mais cette position fait subir aux vertèbres des pressions trop grandes. Il faut donc se redresser.)

1. Il devrait . . . .

　　Il faudrait . . . .

2. . . . .

　　. . . . .

3. . . . .

　　. . . . .

4. . . . .

　　. . . . .

Préparez un voyage.

3 QU'EST-CE QUE VOUS FERIEZ SI VOUS ALLIEZ EN FRANCE ?

1. Pour préparer votre voyage ?

. . . .

2. Pendant votre séjour ?

. . . .

3. Au retour dans votre pays ?

. . . .

C'EST DU PASSÉ !

Les inventions étaient à la mode.

1 QUELS SONT LES PASSÉS SIMPLES ?

Passé simple

1. Relevez les formes du passé simple dans le texte page 120.

....

....

2. À quelle personne sont tous ces verbes ?

....

....

3. Quelle est la terminaison la plus fréquente ?

....

....

2 QUEL TEMPS DU PASSÉ ?

→ Cherchez dans le texte six circonstances (ou états) et six événements.

Passé simple ≠ imparfait

1. Circonstances ou états :

Ils avaient besoin de chaussures.

....

....

....

2. Événements :

Un nouveau procédé ramena ces deux ans à deux semaines.

....

....

....

3 IL FAUT CHOISIR !

→ Distinguer entre état ou circonstance et événement du passé.
Complétez les phrases suivantes.

Lexique

Passé simple ≠ imparfait

1. Le 2 juillet 1795, un message .... transmis par télégraphe optique. Avant cette date, un messager à cheval .... les messages.

2. Avant Conté, on .... de l'encre en Angleterre. Il .... la mine de plomb.

3. Il .... deux ans pour tanner les peaux. On les .... en quinze jours.

4. La loi du 7 janvier 1791 .... les inventions, mais beaucoup d'inventeurs .... guillotinés !

4 C'EST DANS LE TEXTE !

→ Complétez avec des mots du texte.

Lexique

1. Il .... son dernier article aux inventions à la fin du XVIIIᵉ siècle.

2. Le médecin a bien .... le malade et il a pu le sauver.

3. Le cuir s'obtient en .... la peau de certains animaux.

4. Avec de l'argile, du plomb et du mercure, Conté a fait des .... de crayon.

5. Si on vous .... le message, il faudra le ....

6. Un TGV .... maintenant Paris à Nantes en un peu plus de deux heures.

7. On s'............... à l'électricité.

8. Le parachute est resté .... dans l'arbre.

5 ÇA SE PASSAIT SOUS LA RÉVOLUTION !

1. Sur quelle ligne furent transmis les premiers messages télégraphiques ?

....

2. Comment s'éclairaient les gens ?

....

3. Pourquoi installa-t-on des tuyaux et des compteurs à gaz ?

....

4. À quoi servirent les premiers ballons ?

....

5. Qu'est-ce qu'on a pu faire avec le métier à tisser ?

....

6. Qu'arriva-t-il à Lavoisier ?

....

Les années 50

Passé simple
ou passé composé

6 C'ÉTAIT DANS LES ANNÉES 50 !

→ Complétez avec la forme correcte du verbe entre parenthèses.

1. La décennie 50-60 (être) . . . . une période heureuse.

2. Deux voitures qui sont restées célèbres (sortir) . . . . à cette époque.

3. Les foyers français (s'équiper) . . . . en appareils ménagers.

4. L'information . . . . (prendre) beaucoup d'importance et (se répandre) . . . . grâce à la télévision.

5. On (construire) . . . . une belle chapelle moderne à Ronchamp.

6. Sartre (écrire) . . . . des ouvrages importants.

7. Ce (être) . . . . une grande époque pour la peinture.

8. Brigitte Bardot (tourner) . . . . dans plusieurs films.

9. Le général de Gaulle (revenir) . . . . en 1958.

7 IL S'EN EST PASSÉ DES CHOSES !

→ Mettez ce texte au passé.

Les années 50.

La télévision américaine commence à prendre des couleurs et Sartre et Camus dominent les lettres françaises.

C'est alors que Jean Vilar peut ouvrir les portes de son nouveau théâtre, le TNP, à un large public, que Françoise Sagan devient célèbre à dix-sept ans avec son premier roman *Bonjour tristesse* et que Brigitte Bardot et Gérard Philipe font un triomphe sur les écrans.

Mais les troupes françaises subissent des revers. Elles sont forcées d'évacuer l'Indochine et elles se battent difficilement en Algérie.

C'est aussi dans ces années-là que Citroën sort une voiture révolutionnaire, la DS 19, et que Renault lance la petite 4 CV, «la voiture du bonheur».

C'est enfin dans les années 50 que Staline meurt et qu'un Spoutnik tourne autour de la Terre.

En 1958, les Français accueillent avec enthousiasme le retour du général de Gaulle.

. . . .

. . . .

. . . .

. . . .

. . . .

. . . .

. . . .

8 QUEL EST L'ÉQUIVALENT ?

→ Trouvez les mots correspondant aux définitions suivantes.

1. épanouissement   **a.** approuver en battant des mains
2. grandeur   **b.** s'étendre, se propager
3. s'équiper   **c.** développement rapide, large ouverture
4. plate-forme   **d.** acquérir du matériel utile
5. applaudir   **e.** puissance et gloire
6. se répandre   **f.** partie d'un véhicule où les voyageurs se tiennent debout

9 QUELS SONT LES ÉVÉNEMENTS MARQUANTS ?

1. À quel moment commença la société de consommation en France ?

....

2. Pourquoi l'époque 48-60 marqua-t-elle un renouveau ?

....

3. Quelles furent les voitures les plus populaires ?

....

4. Avec quoi les Français purent-ils s'équiper ?

....

5. Quel changement le Salon des arts ménagers a-t-il marqué dans le mode de vie des Français ?

....

10 UNE DÉCENNIE DE L'ART.

→ Les réponses aux questions ci-dessous se trouvent pages 122 et 123 de votre manuel.
Relisez le texte.

1. Quelle fut la chanteuse la plus populaire de l'époque ?

....

2. Quel jeune chanteur lança-t-elle ?

....

3. Quel fut le couturier le plus célèbre ?

....

4. Quel fut le courant philosophique et littéraire le plus connu ?

....

5. Quel grand architecte construisit la chapelle de Ronchamp ?

....

C'était des gens bien informés !

1 QUEL EN EST LE GENRE ?

→ Ces noms ne suivent pas les règles ! Vérifiez leur genre.

Majordome : (m)

Genre des noms

1. homme : ....
2. service : ....
3. groupe : ....
4. notaire : ....

5. commissaire : ....
6. mort : ....
7. maison : ....
8. immeuble : ....

2 QUELLES SONT LES EXPRESSIONS ?

→ Rapprochez les deux parties de chaque expression.

Lexique

1. jouer
2. désolé
3. remuer
4. les intérêts
5. cette pensée

a. en jeu
b. m'a effleuré
c. de vous avoir fait attendre
d. à coup sûr
e. de vieux souvenirs

3 JEUX DE MOTS.

→ Trouvez les verbes correspondant à ces noms.

cachette : se cacher

Lexique

1. attente : ....
2. service : ....
3. construction : ....
4. spéculation : ....

5. disparition : ....
6. héritage : ....
7. renseignement : ....
8. connaissance : ....

4 QUELLE EST LA SUITE ?

→ Complétez les phrases avec des expressions de la BD.

Le banquier prêtait de grosses sommes et les promoteurs ... spéculaient.

Lexique

1. Les responsables de l'opération occupaient des postes importants. Ils étaient ....
2. Norbert est très .... C'est un homme ....
3. C'est par les journaux que Fabrice Beaulieu s'est ....
4. Quand on est sûr de gagner, on joue ....
5. Deux ans après sa disparition, la police ....

5 | SOYONS COURTOIS.

→ Relevez dans le texte de la BD les expressions polies.

Je suis navrée de vous avoir fait attendre.

....

....

....

....

6 | MÉNAGEZ VOTRE INTERLOCUTEUR !

→ Faites précéder la question d'une formule polie qui la rend plus acceptable par l'interlocuteur. Variez la formule chaque fois.

Je veux connaître votre opinion.
(Excusez-moi, mais) je voudrais connaître votre opinion.

Dites-moi ce que vous en pensez.
Pourriez-vous me dire ce que vous en pensez ?

Stratégies d'interaction
Conditionnel

1. Votre mari avait touché de l'argent ?

....

....

2. Il spéculait grâce à ces informations ?

....

....

3. Il n'avait pas fait de testament ?

....

....

4. Sous quel régime étiez-vous mariés ?

....

....

5. Qui va hériter de sa fortune ?

....

....

Le tragique épilogue du Cessna.

1 C'EST DANS LE TEXTE !

Lexique

→ Trouvez des mots ou des expressions de sens équivalent dans le texte.

1. Voler au-dessus de : ....

2. Les restes : ....

3. Occupèrent, exigèrent : ....

4. Chercher partout : ....

5. Discontinu, çà et là : ....

6. Mettre au courant : ....

7. Retourner à : ....

8. En ligne droite : ....

9. Ne remplissant plus ses fonctions : ....

10. Toucher brutalement : ....

11. Projeter au-dehors : ....

2 FAITES LA LISTE...

Articulations internes

1. Des expressions de temps dans le texte :

....

....

....

2. Des expressions qui signalent les renseignements non encore confirmés ou les suppositions du journaliste :

....

....

....

3 METTEZ EN VALEUR L'INFORMATION NOUVELLE.

→ Mettez ces phrases au passif en utilisant le passé simple.
On prit des mesures.
Des mesures furent prises.

On = équivalent du passif

Passé simple passif

1. On mobilisa une centaine de gendarmes.

....

2. On mena des investigations.

....

3. On retrouva un débris de fuselage.

. . . .

4. On alerta les autorités.

. . . .

5. On repéra l'épave.

. . . .

Faites vos débuts de journaliste.

4 | IL Y A PLUS DE DIX ANS...

➜ Vous avez retrouvé ces titres en lisant de vieux journaux. Reconstituez les événements et les circonstances de la catastrophe qui frappa la Bretagne il y a plus de dix ans. Ajoutez les faits que vous pouvez imaginer.

. . . .

. . . .

. . . .

. . . .

. . . .

ENVIRONNEMENT — 20 JANVIER
PÉTROLIER EN PERDITION au large de la Bretagne

L'EVENEMENT — 22 JANVIER
Vents de 100 km/h Le pétrole à quelques centaines de mètres de la côte.

L'ACTUALITE — 24 JANVIER
20 000 tonnes de pétrole se répandent sur la mer et menacent le Nord de la Bretagne.

ENVIRONNEMENT — 23 JANVIER
CATASTROPHE ÉCOLOGIQUE 40 KILOMÈTRES DE CÔTES POLLUÉES

ON N'ARRÊTE PAS LE PROGRÈS.

Le plus grand défi du siècle !

1 ILS N'ONT PAS FAIT CE QU'ILS AVAIENT PRÉVU !

→ Marquez l'antériorité de la première action ou décision par rapport à la deuxième. Ne faites qu'une seule phrase.

Décider d'aller en Angleterre. Ils sont restés chez eux.
Ils avaient décidé d'aller en Angleterre, mais ils sont restés chez eux.

Plus-que-parfait

1. Choisir de prendre l'avion. Elles ont pris le train.

....

2. Partir pour deux semaines. Ils sont restés un mois.

....

3. Acheter ses billets. Il n'a pas pu partir.

....

4. Se mettre d'accord sur les prix. Ils n'ont pas respecté l'accord.

....

5. Rêver de prendre le tunnel. Au dernier moment, j'ai hésité.

....

2 ON Y AVAIT PENSÉ AVANT !

→ Relisez le texte de la page 136.

Plus-que-parfait

1. Qu'est-ce qu'il y avait eu en 1802 ?

....

2. Pourquoi le projet de Mathieu ne s'était-il pas réalisé ?

....

3. Qu'avaient décidé Napoléon III et la reine Victoria ?

....

4. Que s'était-il passé à la suite de leur accord ?

....

5. Qu'est-ce qui, jusqu'en 1955, avait empêché l'Angleterre de donner suite au projet ?

....

6. Qu'est-ce qui avait motivé le retrait de la Grande-Bretagne en 1974?

....

3 | ON A RÉSOLU BIEN DES PROBLÈMES !

Le TGV sera prolongé jusqu'à Turin pour que l'Italie ne soit plus qu'à trois heures de Paris.
Quand on aura prolongé le TGV jusqu'à Turin, l'Italie ne sera plus qu'à trois heures de Paris.

Expression du but
Futur antérieur

1. On va ouvrir la ligne TGV Atlantique pour pouvoir aller de Paris à Bordeaux en 2 h 30.

....

....

2. On va construire le TGV à deux niveaux et on doublera le nombre de voyageurs.

....

....

3. On va construire 4 500 km supplémentaires de TGV pour que toutes les grandes villes de France soient desservies.

....

....

4. On va mettre en place un système de réservation superpuissant pour que toutes les lignes fonctionnent efficacement.

....

....

5. On va trouver une solution pour protéger l'environnement pour que les gens ne soient plus opposés à la création de lignes nouvelles.

....

....

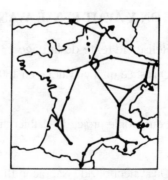

Quatre projets en compétition !

4 METTEZ EN VALEUR

→ Mettez les mots soulignés en valeur. Utilisez le passif.

Un ingénieur avait réalisé les plans.
Des plans avaient été réalisés (par un ingénieur).

Le plus-que-parfait au passif

1. On avait bien accueilli le projet.

....

2. Des entreprises avaient commencé les forages après la signature d'un accord.

....

3. On avait engagé des ouvriers pour le forage des tunnels.

....

4. Les gouvernements avaient invité des promoteurs à lancer les travaux.

....

5. La Grande-Bretagne avait arrêté la construction à cause de la crise économique.

....

5 C'EST DANS LE TEXTE !

→ Complétez avec des mots du texte.

Lexique

1. Pour le projet Euroroute, on avait prévu un tunnel .... et un tunnel

....

2. Dans le projet Europont, le plus ...., il y aurait eu six .... sur

deux ....

3. Les .... ne croyaient pas beaucoup au projet Transmanche, ils étaient très

....

4. Avec ses trois .... et ses .... transportant les voitures en

.... avec des trains, Eurotunnel était le projet le moins coûteux.

6 QU'EST-CE QUI AURA CHANGÉ DANS VOTRE PAYS À LA FIN DU XXᵉ SIÈCLE ?

→ Utilisez des futurs antérieurs à la voix passive.

Les transports (moderniser)
Les transports auront été modernisés.

Le futur antérieur au passif

1. La plupart des problèmes (surmonter)

....

2. Les conditions sociales (améliorer)

....

3. Le système scolaire (moderniser)

....

4. Les villes (agrandir)

....

5. L'économie (dynamiser)

....

7 | QUELLES AURAIENT ÉTÉ LES CONSÉQUENCES ?

S'il avait été construit il y a soixante-dix ans, le tunnel ...
Favoriser les contacts avec la Grande-Bretagne, ... aurait favorisé les contacts...

Hypothèses non réalisées
Conditionnel passé

1. rendre le pays plus vulnérable :

....

2. développer le commerce britannique :

....

3. faciliter les transports de voyageurs et de marchandises :

....

4. faire baisser le prix des transports :

....

5. développer le tourisme :

....

8 | ÇA AURAIT PU ÊTRE FAIT.

→ Mettez les phrases à la forme active.

Un projet futuriste aurait été réalisé avec Europont.
Avec Europont, on aurait réalisé un projet futuriste.

Conditionnel passé au passif

1. Deux ouvrages complémentaires auraient été prévus.

....

2. Les ponts et le tunnel auraient été reliés par des îles artificielles.

....

3. Trains et voitures auraient été accueillis alternativement par les deux tunnels.

....

4. Le coût avait été sous-évalué.

....

9 **QU'EST-CE QUE VOUS AUREZ ACCOMPLI DANS UN AN ?**

Pensez à : terminer ses études, trouver un nouvel emploi, se marier...

Dans un an, j'aurai appris beaucoup de français.

Futur antérieur

....

....

....

....

Elle n'était pas au courant.

1 **QUELLES SONT CES EXPRESSIONS ?**

→ Réunissez les deux parties de ces expressions.

Lexique

1. faire quelque chose   a. éclate
2. prévoir   b. de départ
3. ne pas avoir de secrets   c. l'avenir
4. porter   d. de faire quelque chose
5. en cas   e. l'un pour l'autre
6. un scandale   f. du mieux qu'on peut
7. se charger   g. tort à quelqu'un

2 **FAITES DES HYPOTHÈSES.**

Hypothèses
conditionnel passé

1. Si l'entreprise de conserverie n'avait pas eu de difficultés, Mme Beaulieu ....
2. Si le notaire ne lui avait pas parlé du testament, le commissaire ....
3. Si son mari lui avait parlé du testament, Marie-Anne Beaulieu ....
4. S'ils avaient formé un couple modèle, Fabrice ....
5. Si Fabrice Beaulieu avait réellement disparu, sa femme et sa fille ....

3 **CHASSEZ L'INTRUS.**

Lexique

1. testament – naissance – notaire – legs – héritage
2. fortune – biens – concurrence – revenus – propriétés
3. digne – honnête – confiant – confortable – énergique
4. tribunal – entreprise – enquête – affaire – jugement

Lexique

4 COMPLÉTEZ.

→ Complétez les phrases suivantes avec des mots de l'exercice 3.

1. Quand on a plusieurs héritiers, il est conseillé de faire un ....

2. Les gens très riches vivent de leurs ....

3. Une personne pas très honnête peut passer en .... devant un ....

4. Quand quelqu'un a été assassiné, c'est le commissaire qui s'occupe de l' ....

5. Malgré sa douleur, elle est restée très ....

5 C'EST DANS LE TEXTE !

→ Quelles phrases peuvent être utilisées pour dire :

1. qu'on manque de preuves pour affirmer quelque chose ?

....

2. que quelqu'un est d'un milieu bourgeois ?

....

3. qu'une entreprise est obligée de mettre fin à ses activités ?

....

4. que des gens se font totalement confiance ?

....

5. que quelqu'un sait cacher ses sentiments ?

....

6 QUE PEUVENT-ILS DIRE ?

→ Mettez ensemble les questions et les réponses.

Actes de parole

1. Comment a-t-il réagi ?   **a.** Du mieux qu'il a pu.

2. Il gagne plutôt bien sa vie, non ?   **b.** Gros lot, ce n'est pas le mot !

3. Tu es sûr qu'elle ne le savait pas ?   **c.** Je préfère m'en charger.

4. Il l'a aidée ?   **d.** Non, il n'a qu'un petit revenu.

5. Vous voulez que je les prévienne ?   **e.** Avec calme et dignité.

6. Alors, il a gagné le gros lot ?   **f.** Elle ne semblait pas être au courant.

7 ON EN APPREND, DES CHOSES !

→ Mettez à la voix active si c'est possible. Utilisez un sujet si nécessaire.

Fabrice Beaulieu aurait été aidé par Marie-Anne au moment de l'affaire.
Marie-Anne aurait aidé Fabrice Beaulieu au moment de l'affaire.

1. Un testament avait été rédigé.

   ....

2. Le commissaire n'avait pas été informé de l'existence du testament.

   ....

3. Un petit revenu lui sera assuré par la vente de la conserverie.

   ....

4. Fabrice Beaulieu avait été soumis à trop de pressions.

   ....

5. L'héritage aurait été touché vingt ans après.

   ....

 ## À la conquête du ciel.

---

1 UNE CENTENAIRE, LA TOUR EIFFEL.

L'emploi des temps

→ Complétez le texte en mettant les verbes suivants, proposés dans l'ordre, au temps qui convient : passé simple, imparfait, plus-que-parfait ou conditionnel passé :

Organiser, chercher, retenir, prendre, mettre, commencer, se terminer, monter, dépasser, être, parler, être, avoir, pouvoir, devenir.

Pour fêter le premier centenaire de la Révolution française, une exposition universelle .... à Paris. On .... à frapper l'imagination des visiteurs avec une réalisation hors du commun. Pour cela, on .... le projet d'une tour «qui serait le plus haut édifice qu'aient jamais élevé les hommes, un symbole de puissance et d'optimisme». On .... la décision définitive en juin 1886.

Malgré bien des obstacles, des grèves et un hiver très froid, 150 ouvriers ne .... que 21 mois pour assembler 15 000 pièces de fer pesant 7 500 tonnes et pour ériger une élégante tour de métal de 312 mètres. Les travaux, qui .... en janvier 1887, ... en 1889. On .... à la tour par un escalier de 1 710 marches. La réalité .... le rêve : c'................. bien l'époque de Jules Verne, de quatre ans seulement l'aîné de Gustave Eiffel !

On .... tant de la tour que le succès populaire .... immédiat et immense. Il y .... près de deux millions de visiteurs pendant l'exposition !

Qui .... prédire un tel succès ? En quelques années, la tour Eiffel .... le symbole de Paris, de la France et de la foi en l'avenir.

Savez-vous que, si on l'écrasait sur sa base de 125 mètres de côté, on n'aurait qu'un tas de métal de 6 centimètres de haut !

2 | QUEL EST L'ÉQUIVALENT ?

→ Trouvez des synonymes de :

Lexique

1. construire (en hauteur) : ....

2. étonner, surprendre : ....

3. exceptionnel : ....

4. plus âgé : ....

5. l'espoir (en l'avenir) : ....

3 | MALGRÉ TOUT !

Malgré, concession

1. On poursuivit les travaux malgré ....

2. On travailla tout l'hiver ....

3. L'ingénieur Eiffel réussit à imposer son projet ....

4. Certaines personnes continuèrent à critiquer la tour ....

4 | QUEL MONUMENT EXCEPTIONNEL !

C'était le plus haut édifice (construire) qu'on ait jamais construit.

Subjonctif après le superlatif

1. C'était la construction la plus audacieuse (concevoir) ....

2. C'était le symbole de la foi en l'avenir le plus fort (réaliser) ....

3. C'était la tour la plus élégante (contempler) ....

4. Ce fut le succès le plus grand (voir) ....

5. Ce fut l'édifice le plus extraordinaire (édifier) ....

5 | VOUS N'EN ÊTES PAS CERTAIN !

➜ Prenez des précautions, n'affirmez pas sans être sûr de ce que vous avancez.

(D'après les documents que j'ai lus), la tour Eiffel aurait été construite à l'occasion du premier centenaire de la Révolution française.

On aurait surmonté ....

....

....

On n'aurait mis que ....

....

....

6 | QU'EN PENSEZ-VOUS ?

1. Que pensez-vous de la tour Eiffel cent ans après, en tant que monument et en tant que symbole ?

....

....

2. Pourquoi était-ce une grande réussite technique à l'époque ?

....

....

3. Pourquoi le texte parle-t-il de Jules Verne à propos de la tour Eiffel ? Quel état d'esprit semblait caractériser la fin du XIXᵉ siècle en France ?

....

....

QUELLE DÉCISION PRENDRE ?

📖 *Faut-il aménager ce terrain ?*

1 DE QUOI S'AGIT-IL ? D'UNE CAUSE OU D'UN FAIT CONNU SERVANT D'ARGUMENT ?

Parce que ≠ puisque

1. Allons à la campagne dimanche .... nous avons une voiture.

2. Nous devons avoir une voiture .... il n'y a pas de moyen de transport près de chez nous.

3. Nous utilisons la voiture le moins possible .... c'est très coûteux.

4. .... la commune a fait aménager une piscine, allons-y.

5. Faisons construire une maison .... nous avons le terrain.

6. Nous ne pourrons pas la faire construire .... nous n'avons pas assez d'argent.

7. Le projet a été retenu .... il y a eu un vote favorable du conseil.

8. Le maire a été réélu .... il est efficace.

2 « PARCE QUE » OU « PUISQUE » ?

➙ Complétez ces phrases.

Parce que ≠ puisque

1. .... tu as souvent mal aux dents, va chez le dentiste.

2. Il est allé chez le dentiste .... qu'il avait mal aux dents.

3. .... vous aimez cet endroit, venez habiter ici.

4. Faisons aménager cette maison maintenant .... nous avons l'argent nécessaire.

5. Pourquoi veux-tu que nous fassions construire une piscine chez nous .... nous habitons près de la piscine municipale ?

6. Nous allons faire aménager cette maison .... nous voulons y habiter.

7. Je ne vous poserai plus de questions .... vous ne voulez pas y répondre.

3 ARGUMENT OU JUSTIFICATION ?

➙ Trouvez un argument, puis donnez la raison de ce qui a été fait.

Achetons cette voiture puisqu'elle nous plaît.
Nous avons acheté cette voiture parce qu'elle nous plaisait.

Parce que ≠ puisque

1. Change de robe ....

Elle a changé de robe ....

2. Ne venez pas demain ....

....

3. Arrête de travailler ....

....

4. Fais du tennis ....

....

5. Partez en vacances ....

....

6. Ce n'est pas la peine que vous terminiez ce rapport ....

....

4 QU'EST-CE QU'IL MANQUE ?

Double négation : **ni... ni...**

Il n'a ni roue, ni porte-bagages

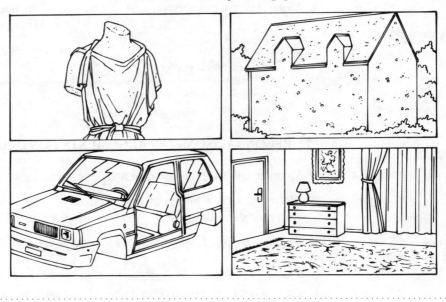

....

....

....

....

Le pour et le contre.

5 QUELS SONT LES ÉQUIVALENTS ?

➜ Associez le mot du texte et son équivalent.

Lexique

1. Aménager
2. Retenir
3. La plupart d'entre eux
4. Complexe
5. Gradins
6. Vestiaire
7. Comporter

a. Lieu où on peut se changer et laisser ses vêtements
b. Ensemble d'installations sportives ou industrielles
c. Comprendre, inclure
d. Endroit où les spectateurs s'assoient
e. Empêcher de partir
f. Mettre en état afin de pouvoir utiliser
g. La majorité de ces gens

6 QU'EST-CE QUE C'EST ?

➜ Mettez ensemble l'énoncé et sa fonction.

Mais, on ne peut pas faire ça ! protester.

Actes de parole

1. Vous avez peut-être raison, cependant je ne crois pas qu'il faille le faire.
2. Il serait important que vous me téléphoniez.
3. Puisque tout le monde est d'accord, la séance est close.
4. Même si on n'a pas l'argent, c'est faisable.
5. J'aimerais que vous lui expliquiez nos arguments.

a. rejeter un argument et exprimer sa conviction
b. arrêter une discussion
c. reconnaître les arguments de l'interlocuteur et exprimer un avis contraire
d. demander poliment à quelqu'un de faire quelque chose
e. conseiller avec une insistance polie

....

7 RECONNAISSONS LES ARGUMENTS CONTRAIRES !

➜ Donnez une formule équivalente pour exprimer la concession.

Malgré son coût, je préfère le premier projet.
Bien qu'il soit coûteux, je préfère le premier projet.

Bien que + subjonctif
Malgré + indicatif

1. Malgré l'absence d'équipements sportifs, ce projet convient à la commune.

....

2. Bien qu'il soit possible d'obtenir une subvention, nous n'arriverons pas à le réaliser.

....

3. Bien que l'emprunt que nous devons faire soit important, il ne faut pas hésiter.

....

4. Malgré toutes vos bonnes raisons, je continue à être contre.

. . . .

5. Bien qu'il ait des difficultés, je reste confiant.

. . . .

8 | MÊME SI...

→ Récrivez les énoncés de l'exercice 7 en exprimant la restriction avec même si...

Même si le premier projet est coûteux, c'est celui que je préfère.

La restriction avec **même si**

1. . . . .

2. . . . .

3. . . . .

4. . . . .

5. . . . .

Qu'auraient-ils à cacher ?

1 | C'EST DANS LE TEXTE.

→ Regroupez les deux parties des expressions.

Lexique

1. Mettre   **a.** les allées et venues

2. Un alibi   **b.** compromettant

3. Un fait   **c.** sur écoute

4. Vérifier   **d.** une surveillance

5. Établir   **e.** en béton

2 | PUISQUE... PARCE QUE...

→ Mettez ensemble la cause et la conséquence. Distinguez entre l'emploi de parce que (cause) et de puisque (raison déjà connue, justification évidente).

Lexique

1. Puisque Xavier Imbert était en Autriche,   **a.** pourquoi chercher plus loin.

2. Parce qu'il avait pris sa place,   **b.** le commissaire prend des précautions.

3. Parce qu'il avait des soupçons,   **c.** il ne pouvait pas être au courant.

4. Puisque tout est clair,   **d.** Imbert ne souhaitait pas le retour de Beaulieu.

5. Parce qu'on lui a recommandé d'être prudent, **e.** Berthier faisait surveiller Marie-Anne.

Expression
de la conséquence

3 | QUE PEUT-ON EN DÉDUIRE ?

1. Mme Beaulieu n'a pas dit la vérité à propos du testament.

Donc, ...

2. Frémont était bien au café ce soir-là.

Alors, ...

3. Xavier n'avait pas été aussi honnête que Beaulieu.

C'est pourquoi ....

4. Xavier était l'adjoint de Beaulieu.

Alors, ...

5. Xavier savait que Beaulieu était en France.

Donc, ...

4 | LES JOURNALISTES COMMENCENT À AVOIR DES SOUPÇONS !

➜ Parler de faits supposés en prenant des précautions.

Mettre Mme Beaulieu sur écoute.
On l'aurait mise sur écoute.

Parler de faits supposés
en prenant des précautions

1. Mettre Frémont hors de cause.

....

2. Faire surveiller son majordome.

....

3. Interroger de nouveaux témoins.

....

4. Vérifier les allées et venues de plusieurs personnes.

....

5. Surprendre des communications téléphoniques.

....

5 | QU'EST-CE QU'ELLE AURAIT DÛ OU PU FAIRE ?

➜ Complétez la conversation entre Marie-Anne Beaulieu et Xavier Imbert.

M.-A. : Tu aurais pu me téléphoner dès que tu as lu les journaux.

X. : Si tu voulais savoir où j'étais, tu .... demander à ma secrétaire.

M.-A. : Tu crois que j' .... dire à la police que Fabrice était revenu ?

X. : Oui, tu .... Et tu .... parler à ta fille, aussi.

M.-A. : J' .... mettre Fabrice au courant de notre relation.

X. : Il n' .... le supporter.

Regrets
Faits non réalisés

6 | MÊME SI C'ÉTAIT POSSIBLE !

→ Complétez les phrases avec une expression de concession.

même si + indicatif

bien que + subjonctif

malgré + nom

1. .... ce sont des gens influents, ils ne doivent pas être inattaquables.

2. On peut les joindre .... leurs allées et venues.

3. .... ait un alibi solide, il aura du mal à éviter le tribunal.

4. Elle doit être heureuse .... sa fatigue.

5. .... il y a eu quelques fuites, le secret a été bien gardé.

7 | QU'EST-CE QUI SE SERAIT PASSÉ ?

→ Répondez aux questions en utilisant les expressions suivantes : faire surveiller, mettre au courant, faire des erreurs, éviter de se voir, vérifier auprès de ses amis.

Qu'est-ce qui se serait passé ...

Hypothèses

1. s'il n'avait pas pris de précautions ?

....

....

2. si elle n'avait pas eu confiance en lui ?

....

....

3. s'ils s'étaient fâchés ?

....

....

4. s'il n'avait pas su cette histoire ?

....

....

5. si elle ne l'avait pas cru ?

....

....

8 | QUELLES POSITIONS PEUT-ON ADOPTER ?

→ Exprimez votre opinion sur les deux sujets suivants. Donnez plusieurs arguments. Utilisez « parce que » et « puisque ».

Oui, parce que...
Oui ? mais... Non, parce
que... non, mais...

1. Quels problèmes causent les animaux domestiques et quelles mesures pourrait-on prendre ? (création d'un impôt comme dans certains pays, interdiction de certains animaux en ville...)

....

....

2. Comment pourrait-on diminuer le nombre des accidents sur les routes et les autoroutes? Quelles mesures proposeriez-vous? (montant des contraventions plus élevé, surveillance plus sévère, interdiction de circuler dans le centre des villes...)

....

....

Paris fait peau neuve.

---

1 MASCULIN OU FÉMININ?

→ À chacun des verbes suivants correspond soit:
un nom terminé en **-ion** (féminin), soit un nom terminé en **-age** ou en **-ment** (masculin). Trouvez-le dans le texte ou cherchez-le dans un dictionnaire.

Formation de noms par dérivation

1. Nettoyer: ....

2. Réhabiliter: ....

3. Implanter: ....

4. Remplacer: ....

5. (Ré)aménager: ....

6. Inaugurer: ....

7. Transformer: ....

8. Bouleverser: ....

9. Ériger: ....

10. Détruire: ....

11. Démolir: ....

12. Agrandir: ....

13. Percer: ....

14. (Ré)équilibrer: ....

2 CITEZ DIX NOMS DE BÂTIMENTS.

Gratte-ciel, ...

....

3 QUI GÈRE LA COMMUNE ?

→ Lisez attentivement le texte suivant et répondez aux questions.

C'est en 1789 que furent créées les quelque 40 000 communes en France en remplacement des vieilles paroisses à la campagne et des cités en ville. Élus tous les six ans, le maire et son conseil municipal eurent alors à administrer leur commune et à trouver des solutions à tous les problèmes concernant les habitants.

Plus importante est la commune, plus complexe en est l'organisation, plus compliquée en est la gestion. En effet, chaque commune emploie environ une personne pour cent habitants, ce qui constitue un nombre très important d'employés municipaux dans les grandes villes.

Comme celui d'un petit village, le maire d'une grande ville est au service des habitants qui l'ont élu, et ses pouvoirs sont très larges. Car, contrairement à ce qu'on pense, l'État ne s'occupe pas de tout en France. L'école, le logement, l'état civil, les aides d'urgence, la rue, la vie de tous les jours sont du ressort de la commune. Pour ceux qui douteraient encore du poids des communes, on peut donner une preuve : le budget des mairies dépasse le chiffre d'affaires de l'industrie automobile !

En mars 1989, 503 070 Français ont été élus conseillers municipaux et les compétences des maires ont été encore élargies avec la loi de décentralisation...

Paroisse : les campagnes étaient divisées en paroisses ayant chacune son église et son curé.
Élu : désigné par un vote (des habitants de la commune).

1. Quand a-t-on changé en France le système administratif des paroisses et des cités ?

   ....

   ....

2. Combien de temps sépare deux élections municipales ?

   ....

3. Quelle est la proportion moyenne d'employés municipaux par rapport à la population ?

   ....

4. Combien y a-t-il de conseillers municipaux en France ?

   ....

5. Qui les élit ?

   ....

6. Quelles sont les compétences des mairies ?

   ....

7. À quoi peut-on comparer le budget des mairies ?

   ....

8. Comment fonctionne l'administration locale dans votre pays ? Est-il comparable au système français ? Quelles sont les différences les plus importantes ?

   ....

Un monde sans travail

1 QUELLES SONT LES EXPRESSIONS ?

➔ Réunissez les deux parties de l'expression.

Lexique

1. Remettre	**a.** au point (une machine)
2. prêter	**b.** de l'argent
3. Mettre	**c.** un prêt
4. Mettre	**d.** en question
5. Rembourser	**e.** en œuvre (une politique)

2 FORMEZ DES VERBES.

➔ À partir des adjectifs de couleur et de quelques adjectifs désignant la taille, vous pouvez former des verbes avec le suffixe -ir.

dur ➔ (se) durcir

Formation de verbes

1. Épais : ....   **4.** Rouge : ....

2. Bleu : ....   **5.** Gros : ....

3. Mince : ....   **6.** Grand : ....

3 INVENTEZ LA SUITE.

Doubles comparatifs :
plus ... plus, plus ... moins,
moins ... moins, moins ...
plus

1. Plus les gens gagneront d'argent,

....

2. Plus le travail se spécialisera,

....

3. Plus il y aura de machines,

....

4. Moins il y aura de travailleurs,

....

5. Moins on imposera de règles,

....

4 QU'EST-CE QUI RISQUE D'ARRIVER ?

Les robots feront tout le travail si bien...
qu'il y aura de moins en moins de travail pour les humains !
ou *qu'il y aura beaucoup plus de chômeurs.*

Expression
de la conséquence

1. Les gens perdront l'habitude de travailler au point qu' ....

....

2. Ceux qui aiment travailler s'ennuieront tellement qu' ....

....

3. Ceux qui n'aiment pas travailler seront si heureux qu' ....

....

4. Ceux qui occuperont les emplois de haut niveau auront tellement de pouvoir qu' ....

....

5. Les gens auront si peu à faire qu' ....

....

6. Les gens devront occuper leur temps si bien qu' ....

....

5 COMMENT SERAIT LE MEILLEUR DES MONDES ?

Ne plus fabriquer d'armes / plus de guerres.
On ne fabriquerait plus d'armes si bien qu'il n'y aurait plus de guerres.

Hypothèse et conséquence

1. Répartir mieux les richesses / moins de pauvres

....

....

2. Combattre la pollution / meilleure qualité de vie

....

....

3. Supprimer les frontières / mieux connaître ses voisins

....

....

4. Plus de machines / diminuer la part du travail humain

....

....

5. Plus d'égalité entre les hommes / monde plus juste

....

....

Colonisez une nouvelle planète.

6 QUELLES SONT LES EXPRESSIONS ?

→ Réunissez les deux parties de l'expression.

Lexique

1. Souhaiter   **a.** de croisière

2. Vitesse   **b.** en esclavage

3. Système   **c.** en contrepartie

4. Réduire   **d.** la bienvenue

5. Exiger   **e.** solaire

Quels sont les équivalents des expressions ci-dessus ?

1. Qui gravite autour du Soleil.

2. Vitesse moyenne sur un long parcours.

3. Vouloir obtenir quelque chose d'équivalent en échange.

4. Priver quelqu'un de liberté.

5. Accueillir.

7 QU'EST-CE QUE C'EST ?

→ Mettre ensemble l'énoncé et sa fonction.

C'est un vœu si cher aux hommes qu'ils le réaliseront.
Exprimer la cause et la conséquence

Actes de parole

1. Ce n'est pas ce que vous aviez voulu dire ?   **a.** constater un fait

2. Il semblerait qu'on soit arrivé à un accord.   **b.** protester, s'opposer à quelqu'un

3. Comment osez-vous ?   **c.** exprimer une possibilité

4. C'est tellement difficile de trouver du travail qu'elle a pris n'importe quoi.   **d.** demander confirmation

5. C'est bien possible qu'il change d'avis.   **e.** faire une supposition

8 QU'EST-CE QU'ILS DEVRONT FAIRE ?

1. Pendant leur voyage, ...

....

2. Avant d'arriver, ...

....

3. Dès qu'ils seront descendus du vaisseau spatial, ...

....

4. Quand ils auront établi leur base, ...

....

5. Après avoir étudié la situation, ...

....

9 | COMMENT RÉAGISSEZ-VOUS ?

→ Répondez par «oui / non», «parce que»... ou par «oui» / «non, mais»...

Argumentation

1. Êtes-vous en faveur d'une société technologique?

....

2. Êtes-vous partisan d'une société ludique?

....

3. Préféreriez-vous une société de type intermédiaire?

....

Ils étaient très liés.

1 | À QUOI ÇA MÈNE ?

→ Complétez les phrases pour exprimer la conséquence.

Expression
de la conséquence

1. Xavier Imbert connaissait tellement de gens haut placés ....

....

2. Il a si bien caché sa participation à l'affaire ....

....

3. Il cache tellement de choses au commissaire que celui-ci ....

....

4. Il était si proche de Marie-Anne Beaulieu ....

....

5. Il finit par dire la vérité de telle sorte ....

....

2 | QU'EST-CE QU'ILS CRAIGNAIENT ?

F. Beaulieu / faire disparaître
Il craignait qu'on le fasse disparaître

Craindre que + subjonctif

1. F. Beaulieu / le reconnaître

....

2. F. Beaulieu / affaire pas oubliée

....

3. Marie-Anne Beaulieu / sa fille apprendre le retour de son père

....

4. Xavier Imbert / la police connaître ses relations avec Marie-Anne

....

3 | QU'EST-CE QU'ILS FONT ?

➜ Recherchez des énoncés correspondant à ces actes de parole qui sont donnés dans l'ordre du dialogue.

Actes de parole

1. Donner un avertissement

....

2. Remettre quelqu'un à sa place

....

3. Insinuer une accusation

....

4. Se défendre contre une accusation

....

5. Exprimer son inquiétude

....

6. Menacer ironiquement

....

4 | SI BIEN QUE...

➜ Complétez les phrases en utilisant «de plus en plus» ou «de moins en moins».

Doubles comparatifs

1. Elle travaille tellement qu'elle a .... de temps à consacrer à ses loisirs.

2. Depuis qu'il vit à l'étranger et elle à Paris, ils ont .... d'occasions de se rencontrer.

3. Il a fait tant de bonnes affaires qu'il est .... riche.

4. Il a un poste haut placé si bien qu'il a .... d'amis.

5. Il ne lit plus les journaux de sorte qu'il est .... au courant de l'actualité.

5 | C'EST BIEN POSSIBLE.

➜ Récrivez le dialogue des deux inspecteurs Laplace et Brissac en présentant les faits comme de simples probabilités et non comme des certitudes.

LAPLACE : Delcroix a quitté son bureau plus tôt que d'habitude.

BRISSAC : Oui, il avait un rendez-vous important, mais il n'y est pas allé.

LAPLACE : Il l'a annulé, mais sa secrétaire a oublié de nous le dire.

BRISSAC : Non, j'ai parlé avec sa secrétaire. Il ne lui a rien dit.

LAPLACE : Il a pu l'annuler sans lui en parler.

BRISSAC : Ça n'explique pas pourquoi il est arrivé si tard chez lui.

LAPLACE : Il est allé au cinéma.

BRISSAC : Sans téléphoner à sa femme ?

LAPLACE : Il lui a téléphoné, mais elle n'était pas là.

BRISSAC : Moi, ça me paraît bizarre. Pas à toi ?

LAPLACE : Si, à moi aussi.

....

....

....

....

....

L'aventure de l'innovation technologique.

1 CROYEZ-VOUS AU PROGRÈS TECHNIQUE ?

→ Dites ce qu'on arrivera à faire.

On fera des machines de plus en plus puissantes (ou perfectionnées, performantes).

De plus en plus,
de moins en moins

1. On inventera des techniques ....

2. On fabriquera des circuits électroniques ....

3. On créera des avions ....

4. On formera des chercheurs ....

5. On bâtira des théories ....

2 APRÈS AVOIR ÉTUDIÉ LE TEXTE DES PAGES 176-177, CRÉEZ UN RÉSEAU AUTOUR DU THÈME CENTRAL : « PROGRÈS SCIENTIFIQUE ».

Lexique

→ Utilisez vos idées aussi bien que celles du texte.

....

....

L'Europe, comment s'en servir ?

1 COMPRENEZ-VOUS LES MOTS SUIVANTS ?

➜ De quels éléments sont-ils composés? Pouvez-vous deviner leur genre si ce sont des noms?

Brassage = verbe brass(er) + suffixe -age
masculin (à cause du suffixe)

Formation des mots

1. eurocadre ....

2. téléachat ....

....

3. subdiviser ....

....

4. correspondance ....

....

6. consommateur ....

....

2 TROUVEZ DANS LE TEXTE LES MOTS OU LES EXPRESSIONS CORRESPONDANT AUX DÉFINITIONS.

Lexique

1. Mélange (de gens, de choses), assemblage : ....

2. Réfléchi, qui agit après avoir pris des avis : ....

3. Changement de place : ....

4. Membre du personnel de catégorie supérieure travaillant en Europe : ....

5. Être en cours de mutation, de changement biologique : ....

6. Origine : ....

3 COMPLÉTEZ AVEC DES INFINITIFS.

Emplois de l'infinitif

1. .... par une maîtrise à la Sorbonne ou à Madrid sera possible.

2. Il sera conseillé de .... des stages dans des entreprises d'autres pays.

3. Tout cela permettra de .... la future élite européenne.

4. Lingua a été conçu pour .... les Européens à la pratique des langues.

5. .... dans les pays où la main-d'œuvre est la moins chère semble la préoccupation des grandes compagnies.

6. L'objectif est de .... le moins cher possible et d'............... le choix le plus large.

7. .... sa voiture en Belgique permettra de .... dix pour cent d'économie.

Lexique

4 | RECONSTITUEZ LES EXPRESSIONS.

→ Mettez ensemble les deux parties de l'expression.

1. une fois	**a.** des mesures
2. se faire	**b.** en commun
3. le niveau	**c.** pour toutes
4. prendre	**d.** des illusions
5. mettre	**e.** de vie

Ce qu'ils en pensent.

5 | COMPLÉTEZ LE TEXTE.

Lexique

Je ne me .... sur le temps qu'il faudra pour que les pays d'Europe .... à leurs querelles et .... leurs ressources. Mais ils s'y sont engagés pour que le .... augmente dans les pays défavorisés et que le bloc européen puisse .... avec les autres blocs du monde.

6 | INDICATIF OU SUBJONCTIF ?

→ Complétez le texte avec les verbes entre parenthèses.

Indicatif : fait réel

subjonctif : fait supposé ou imaginé

Depuis que je (être) .... petite, j'ai toujours été en faveur de l'Europe. Avant même que je (savoir) .... exactement ce que voulait dire «l'Union européenne», d'ailleurs. C'est normal, car, bien que mes parents (être) .... tous les deux français, ils .... (vivre) .... beaucoup à l'étranger. Ils m' (envoyer) .... très jeune en Angleterre et en Espagne pour que j' (apprendre) .... bien ces deux langues. Moi aussi, j' (essayer) .... de vivre à l'étranger, à moins que je ne (trouver) .... un métier qui me (faire) .... voyager.

7 TROUVEZ LE VERBE.

1. Avant que tous les problèmes .... résolus, il faudra beaucoup de temps.

2. Mais, bien qu'il y .... de nombreux obstacles, la volonté d'union finira par triompher.

3. Après que la première phase .... terminée, les douze pays se connaîtront mieux.

4. Ils travailleront ensemble si bien que les choses .... rapidement.

5. Mais, à moins que les mentalités .... vite, les mutations en profondeur seront lentes.

8 UNE DÉCLARATION D'INTENTIONS !

Il faut que les tarifs des transports baissent.
On les fera baisser.

Faire + infinitif

1. Il faut que le pouvoir d'achat augmente.

....

2. Il faut que les formalités inutiles disparaissent.

....

3. Il faut que le chômage diminue.

....

4. Il faut que les conditions de travail et de vie s'harmonisent.

....

5. Il faut que l'idée européenne aboutisse.

....

Il aurait dû prendre des gants !

1 LE COMMISSAIRE BERTHIER NOUS A DIT CE À QUOI IL PENSAIT.

➜ Exprimez le futur dans le passé.

Je vous assure que je découvrirai la vérité.
Je vous ai assuré que je découvrirais la vérité.

Le conditionnel
comme futur du passé

1. Je pense qu'elle parlera.

....

2. Je sais qu'elle mentira.

....

3. J'espère qu'elle commettra une imprudence.

....

5. Ils croient que je ne devinerai rien!

....

---

2 **MARIE-ANNE BEAULIEU A INFORMÉ LE COMMISSAIRE BERTHIER.**

→ Mettez le verbe principal au passé et faites la concordance entre le temps de la proposition principale et celui de la subordonnée.

Mon mari me dit qu'il est en France.
Mon mari m'a dit qu'il était en France.

Concordance des temps

1. Il affirme que c'est bien lui.

....

2. Il est certain que je peux comprendre sa situation.

....

3. Il croit que je l'aime encore.

....

4. Il me dit qu'il veut revoir sa fille.

....

5. Il pense que je suis d'accord.

....

6. Je vous assure que je ne sais pas qu'il a fait un testament.

....

---

3 **MARIE-ANNE BEAULIEU EXPOSE SES PROBLÈMES.**

→ Mettez le verbe de la proposition principale au passé.

Concordance des temps

1. Je vous dis que je vis un véritable cauchemar.

....

2. J'ai peur qu'il revienne.

....

3. Il veut que je le voie.

....

4. Il croit que l'affaire est oubliée.

....

5. Je pense qu'il veut reprendre la vie commune.

....

6. Je ne crois pas qu'il puisse comprendre la situation.

....

7. Je ne veux pas que ma fille soit au courant.

....

4 COMPLÉTEZ.

→ Complétez les phrases avec une des conjonctions suivantes : « à moins que », « à condition que », « avant que ».

Les conjonctions

1. Tu peux garder le secret .... tu aies de bonnes raisons de ne pas le faire.

2. Je peux téléphoner .... nous partions ?

3. Il viendra .... tu le lui demandes.

4. Je ne te raccompagne pas .... tu aies peur de rentrer seule.

5. Tu pourras le rencontrer .... je le prévienne.

6. Tu devrais t'occuper de cette affaire .... il ne soit trop tard.

5 RECONSTITUEZ LES EXPRESSIONS

→ Reconstituez six expressions, puis faites une phrase avec chacune des expressions.

1. vivre   **a.** d'avis
2. reprendre   **b.** le choix
3. découvrir   **c.** un véritable cauchemar
4. prendre   **d.** la vérité
5. changer   **e.** des gants
6. ne pas avoir   **f.** contact

....

....

....

....

....

....

6 ELLE A TOUT DIT !

→ Marie-Anne Beaulieu a répondu aux questions du commissaire. Mettez ses déclarations au passé.

Elle oublie de lui dire que son mari l'a contactée.
Elle a oublié de lui dire que son mari l'avait contactée.

Le discours rapporté

1. Elle lui déclare qu'elle a vécu un véritable cauchemar.

....

2. Elle lui explique que son mari voulait la revoir.

....

3. Elle lui dit que la nouvelle sera très dure pour sa fille.

. . . .

4. Elle lui révèle qu'elle en a parlé à son ami Xavier Imbert.

. . . .

5. Elle assure qu'elle n'est pas au courant du testament.

. . . .

6. Elle se souvient que sa fille était sortie ce jour-là.

. . . .

L'Europe et la francophonie

1 **TROUVEZ LES MOTS ET LES EXPRESSIONS QUI CORRESPONDENT À CES DÉFINITIONS.**

Lexique

1. Expression de marine pour encourager l'équipage :

. . . .

2. Qui existe depuis des milliers d'années.

. . . .

3. S'affaiblir, être absorbé(e) par :

. . . .

4. Dix fois plus grand :

. . . .

5. Faire du nouveau.

. . . .

6. Tirer ses ressources de, s'appuyer sur :

. . . .

7. Chance, moyen de réussir :

. . . .

8. Donner une forme :

. . . .

2 **QU'ATTENDEZ-VOUS DU FRANÇAIS ET DES CULTURES FRANCOPHONES ?**

→ Dites, en quelques lignes, ce que vous attendez du français : une ouverture culturelle, une introduction au monde latin, la possibilité de voyager ou de travailler dans des pays francophones, l'accès à des universités, un moyen d'échapper à l'emprise de la culture anglo-saxonne, l'accès à des textes scientifiques, la possibilité de commercer avec des pays francophones...

....

....

....

....

....

....

....

Quel apprenant êtes-vous ?

→ Construisez votre profil d'apprenant en tenant compte des critères ci-dessous.

ORGANISATION DE VOTRE TRAVAIL

- Temps que vous consacrez au français.
- Périodicité et régularité.
- Fixation d'objectifs à court et moyen terme.
- Révisions et reprises régulières.
- Outils de référence disponibles (dictionnaire, grammaire...).
- Tenue d'un journal personnel pour noter expériences et problèmes.

PARTICIPATION

- **En classe**
  - Demander des explications.
  - Répondre mentalement à toutes les questions posées.
  - Anticiper et intervenir spontanément.
- **En dehors de la classe**
  - Poser des questions au professeur.
  - Étudier seul ou travailler avec un(e) autre étudiant(e).

SYSTÉMATISATION DES CONNAISSANCES

- Chercher les règles qui regroupent et résument les connaissances (questionnement, dérivation...).
- Noter soigneusement les «exceptions» (genre des noms...).
- Accorder une attention particulière aux formes et aux emplois différents de ceux de la langue maternelle.
- Noter des exemples de grammaire, regrouper le vocabulaire.

PRISE DE RISQUES

- Essayer des approches et des stratégies différentes (en lecture...).
- Accepter de faire des fautes.
- Tolérer une certaine ambiguïté temporaire.
- Faire avec ce qu'on sait (paraphraser, essayer de tourner les difficultés...)
- Utiliser des stratégies conversationnelles pour gagner du temps, relancer la conversation...
- Demander de l'aide si nécessaire.

CRÉATIVITÉ

- Observer les analogies, les différences, et faire des hypothèses à partir de ce que l'on connaît.
- Essayer de découvrir par soi-même les règles de fonctionnement.
- Anticiper (structures, sens, fonctionnement...).
- Rechercher activement idées et moyens nouveaux.

ÉVALUATION ET DÉSIR D'AUTONOMIE

- Se fixer des objectifs et s'évaluer régulièrement.
- Définir ses propres critères d'évaluation.
- Chercher la cause de ses erreurs et essayer d'y remédier.

RECHERCHE DU CONTACT

- Avoir le désir de s'informer sur les gens et les pays dont on apprend la langue.
- Essayer de lire des journaux, d'écouter la radio, de regarder des programmes de télévision, de voir des films dans la langue étrangère.
- Chercher un correspondant régulier.
- Partir en voyage de découverte...

→ Quel profil d'apprenant croyez-vous avoir ?

Êtes-vous plutôt	
globaliste	**analytique**
Vous voyez l'ensemble.	Vous avez le souci du détail.
Vous prenez des risques.	Vous restez prudent(e).
Vous avez le goût du changement.	Vous préférez la stabilité.
Vous tolérez le flou.	Vous recherchez la perfection.
Vous êtes plutôt impulsif/-ive.	Vous êtes plutôt réfléchi(e).
Vous êtes indépendant(e).	Vous avez besoin d'être guidé(e).

→ Quels sont vos projets pour perfectionner votre connaissance du français ?

Achevé d'imprimer
Imprimé en Italie par Rotolito Lombarda
Dépôt légal 5513 - 05/1996
Collection n° 26 - Édition 02
15-5021-9